ANTIGUO EGIPTO

El imperio de los faraones

ANTIGUO EGIPTO

El imperio de los faraones

R. Hamilton

p

Copyright © 2006 de la edición española:
Parragon Books Ltd
Queen Street House
4 Queen Street
Bath BA1 1HE, RU

Traducción: Francesc Bover, Cristina Palacios y
María Palacios para Equipo de Edición S.L.
Revisión técnica: Dolors Gassós
Redacción y maquetación:
Equipo de Edición S.L., Barcelona

ISBN-10: 1-40547-842-X
ISBN-13: 978-1-40547-842-7

Impreso en China
Printed in China

Contenido

Introducción

El día 26 de noviembre de 1922, cuando Howard Carter penetró en la tumba de Tutankamón, encontró un tesoro increíble, objetos que habían permanecido ocultos durante más de 3000 años. Fue el mayor hallazgo desde los inicios de la egiptología y el descubrimiento arqueológico más espectacular de todos los tiempos. La riqueza, suntuosidad y belleza del ajuar funerario del joven faraón, que incluye la famosa máscara de oro macizo, despiertan aún hoy admiración y sorpresa en todo el mundo. La inhumación de este faraón poco relevante de la XVIII Dinastía, casi desconocido con anterioridad, se realizó probablemente de manera provisional en una tumba preparada a toda prisa. Ante la magnificencia de la sepultura de Tutankamón cabe preguntarse qué maravillas hubieran deparado las pirámides y las tumbas de los grandes faraones de no haber sido saqueadas en la Antigüedad.

El espectacular descubrimiento de Carter, cuya difusión en los medios de comunicación fue acompañada por la leyenda de la maldición de los faraones, despertó entre las masas una inesperada fiebre por Egipto. Para los científicos que dedicaban su vida a la investigación del Antiguo Egipto significó el descubrimiento más trascendental después de otro de calibre semejante realizado cien años antes.

En aquella época, toda Europa era escenario de un vivo y enorme interés por el país de los faraones, en especial después de la publicación de *Description de l'Egypte*. Esta vasta obra, editada en veinte volúmenes a lo largo de dos décadas, debe su existencia a la campaña de Napoleón en Egipto. Fue un desastre militar, pero permitió a los estudiosos que participaban en la expedición adquirir un conocimiento directo de los monumentos y la cultura del país, y estudiarlos.

Con todo, la *Description de l'Egypte* fue tan sólo un primer paso. En 1822 Jean François Champollion logró algo que permitiría devolver el habla a los testimonios del pasado después de un milenio: descifró los jeroglíficos. Obtuvo la clave con la ayuda de la famosa piedra de Rosetta. Había nacido la egiptología y con ella quedaba expedito el camino hacia grandiosos descubrimientos.

Mucho antes se habían hecho famosas ya las pirámides, el emblema más conocido de la cultura faraónica, que en el momento de su realización fueron la mayor construcción del planeta y cuya técnica, aun con los parámetros del siglo XXI, las convierte en una obra maestra de primer rango.

Sin embargo, el Egipto de los faraones era mucho más que un país bendecido por el bienestar, la prosperidad y la habilidad artesanal. Era un estado con una compleja concepción del mundo. Los usos y costumbres de las gentes se basaban en firmes creencias religiosas. Los egipcios creían en una creación que había convertido el caos en orden. Para ellos, el universo se hallaba en un equilibrio inestable, y el correcto mantenimiento del orden constituía una exigencia constante. Esta tarea era el deber más preminente del faraón. Entre sus obligaciones figuraban mantener el curso del sol y del Nilo, de los cuales dependía fundamentalmente la vida del país. Disponía para ello de su condición de semidiós y mediador entre el pueblo y los dioses; si estos últimos se sen-

Página anterior: impresionantes relieves tallados y pintados de la tumba de Amonherjepeshef, hijo de Ramsés III, faraón de la XX Dinastía. Muestran al rey presentando a su hijo a las divinidades del Inframundo. En los últimos años de su reinado, Ramsés III construyó una tumba en el Valle de las Reinas para Amonherjepeshef, que murió prematuramente por causas desconocidas.

tían satisfechos, la creación permanecía incólume y se garantizaba una existencia feliz.

En muchos aspectos, la religión de los egipcios se basaba en la observación de la naturaleza y en la experiencia diaria. En una sociedad agrícola como la suya los animales desempeñaban un papel fundamental; los bueyes y las vacas eran reverenciados por su fertilidad y potencia, los cocodrilos y las serpientes eran temidos como una amenaza que podía causar el caos. En general, los egipcios creían que todos los seres vivos estaban poseídos por fuerzas divinas; en la época tardía algunos animales podían ser incluso la encarnación terrenal de un dios. Las incontables divinidades hacían las veces de modelos para explicar el mundo. Por ejemplo, cuando descubrieron la existencia de cinco días de diferencia entre la traslación solar y el calendario de 360 días recurrieron para justificarla a acontecimientos míticos ocurridos en el mundo de los dioses.

En la cúspide de la sociedad egipcia, muy estratificada, se hallaba el faraón, seguido por los miembros de la elite y de la administración en una secuencia que descendía hasta los sencillos campesinos y artesanos. En las fases más antiguas de la civilización egipcia, el sistema estatal de aprovisionamiento garantizaba a cada estamento ingresos regulares y suficientes para vivir en este mundo. La esperanza de alcanzar una vida mejor después de la muerte estuvo presente en todas las épocas.

Abajo: Tumba de Saqqara perteneciente a Mereruka, juez supremo y visir durante el reinado de Teti, faraón de la VI Dinastía. Mereruka se casó con la hija mayor del rey, lo que elevó todavía más su estatus. La tumba se encuentra junto a la pirámide de Teti, de acuerdo con la convención de que tanto los familiares como los funcionarios importantes recibieran sepultura en las inmediaciones del complejo funerario del rey.

Arriba: Abusir, una de las necrópolis reales de Menfis, primera capital de Egipto después de la unificación del país en el 3100 a.C. Sahure, segundo faraón de la V Dinastía, fue el primer soberano que eligió Abusir como emplazamiento para su complejo de pirámides, ejemplo que siguieron sus sucesores. Los relieves de las tumbas fueron ejecutados con maestría, pero las pirámides son menos impresionantes que sus homólogas de la IV Dinastía en Gizeh. Son más pequeñas y el núcleo está hecho con mampostería, y no con piedra compacta.

Estos pilares de la sociedad egipcia comportaron que su civilización durara más de tres milenios, mucho más que cualquier otra cultura anterior o posterior.

En muchos campos los egipcios fueron especialmente progresistas e innovadores, y al mismo tiempo conservadores en extremo. Tanto en la arquitectura como en los transportes, la medicina o la agricultura, si se establecía un método de actuación de probados resultados satisfactorios, no se sentía necesidad alguna de innovarlo. De este modo, el navegable Nilo se mantuvo como la principal vía de comunicación, sin que se sintiera la necesidad de una amplia red de carreteras; tanto es así que, al parecer, los egipcios nunca llegaron a tener una palabra con el significado de «puente». Asimismo, resulta realmente interesante el hecho de que en el idioma antiguo el término empleado para decir egipcio ¡significara al mismo tiempo persona!

La época de los faraones fue un período histórico de más de tres mil años durante los cuales 31 dinastías de reyes-semidioses gobernaron un pueblo capaz de unos logros que dejan sin aliento. La egiptología ha conseguido averiguar muchas cosas, pero está muy lejos de ofrecer una imagen completa. De continuo se producen nuevos descubrimientos y los investigadores aplican a los ya conocidos interpretaciones novedosas y controvertidas. El Antiguo Egipto mantiene su fascinación y los tesoros de los faraones siguen despertando en la actualidad un gran interés.

Cronología

Período Predinástico
(h. 5500 a.C.–h. 3100 a.C.)

Los cambios climáticos propician los asentamientos en el valle y el delta del Nilo. Las inundaciones anuales depositan sedimentos fértiles que hacen posible cosechas abundantes. Los cazadores y recolectores se convierten en agricultores sedentarios y forman comunidades cada vez mayores; aparecen las primeras unidades políticas y complejas ideas teológicas. Los conflictos de creciente gravedad entre los dos reinos que habían surgido, el Alto Egipto y la región del delta o Bajo Egipto, alcanzan su punto culminante hacia el 3100 a.C., cuando el Bajo Egipto es sometido por el Alto Egipto y se crea un solo país, unificación que con posterioridad se atribuye al legendario rey Menes.

El ciclo del sol y de las inundaciones anuales del Nilo influye en la concepción religiosa del mundo de los vivos y de la existencia, así como en la idea de la renovación constante del reino de los muertos. Los reyes son enterrados en grandes recintos funerarios y las elites en sepulturas de tipo mastaba. Hacia el 3400 a.C. se crea la escritura; los jeroglíficos más antiguos que se conservan proceden de las tumbas reales de Abidos.

Período Dinástico Primitivo
(h. 3100 a.C.–2686 a.C.;
I-II Dinastías)

Unificación definitiva del país bajo el rey Horus Aha, incluido en la posterior lista de reyes con el nombre de faraón Menes. Menfis, situada en la zona fronteriza entre el Alto y el Bajo Egipto, en el extremo meridional del delta del Nilo, se convierte en la capital del reino, mientras que la necrópolis real se instala en Abidos. Aparece la administración, base de la organización del Estado. Se establece un reino teocrático, cuya figura suprema es el faraón, que reúne en su persona el poder civil y religioso.

Imperio Antiguo
(h. 2686 a.C.–h. 2181 a.C.;
III–VI Dinastías)

Egipto vive una primera y larga fase de florecimiento cultural y de bienestar material. La construcción de pirámides como mausoleos de los faraones pasa a ser el objetivo primordial del Estado, puesto que de la ascensión del rey al mundo de los dioses depende también la continuidad de la vida terrenal de cada individuo. En Saqqara, bajo la dirección del genial maestro de obras Imhotep, se edifica la primera construcción monumental en piedra de la humanidad, la pirámide escalonada de Zoser. Desarrollo de la forma clásica de las pirámides a comienzos de la IV Dinastía, bajo Snofru, y culminación de dicha estructura en las pirámides de Keops, Kefrén y Micerino en Gizeh.

La divinidad principal es Ra, dios del Sol; el faraón recibe el título de «hijo de Ra». Las pirámides de la V Dinastía son más modestas; al mismo tiempo, cerca de Abusir se construyen grandes santuarios del Sol. Disminución del poder central al final de la VI Dinastía y caída de los impuestos. Disolución del imperio.

Primer Período Intermedio (h. 2181 a.C.–h. 2055 a.C.; VII/VIII–XI Dinastías)

Período marcado por la inestabilidad y la decadencia, debido a la pérdida de autoridad de la monarquía. Los nobles locales luchan por el poder. El final del sistema de abastecimiento estatal comporta la aparición del hambre y la miseria. Varios monarcas reinan por poco tiempo, y

en algunos casos en paralelo, pero no sobre la totalidad de Egipto. Fuertes discrepancias entre la corte y las provincias. Inseguridad general y pérdida de los valores tradicionales. Aumenta la importancia de la fe en Osiris, dios resucitado y señor del mundo de los muertos. Nobles de Heracleópolis conquistan la capital, Menfis, y reinan como IX y X Dinastías. Son derrotados por nobles de Tebas, que finalmente gobiernan sobre la totalidad de Egipto como XI Dinastía. La corte se traslada a Tebas.

Imperio Medio (h. 2055 a.C.–h. 1650 a.C.; XI–XIII Dinastías)

Nueva fase de florecimiento cultural; auge de la literatura, el arte, las ciencias y la arquitectura. Amenemhet I usurpa el trono y funda la XII Dinastía. Reinstaura las tradiciones del Imperio Antiguo y traslada la capital hacia el norte, cerca de la actual el-Lisht. De nuevo se construyen pirámides, pero de menor tamaño que las del Imperio Antiguo. Amón, dios tebano, asciende a «rey de los dioses»; su templo en Karnak se convierte en el centro religioso del país y Abidos, lugar de culto a Osiris, en el principal destino de peregrinaciones. Textos reservados antes a las inhumaciones de los reyes se emplean ahora en

sepelios privados. Ocupación de Nubia. A lo largo de la XIII Dinastía lenta decadencia. Inmigración de grupos de semitas (hicsos) hacia el delta.

Segundo Período Intermedio (h. 1650 a.C.–h. 1550 a.C.; XIV–XVII Dinastías)

Nuevo deterioro del poder central. Durante la XV y la XVI Dinastías, reyezuelos egipcios gobiernan en paralelo a los hicsos, que establecen su capital en el delta, en Avaris. Caudillos hicsos reclaman privilegios reales y se entronizan como faraones. Con los gobernantes extranjeros llegan al país nuevas tecnologías. Revisten sobre todo una gran importancia los carros de guerra y la correspondiente cría y doma de caballos. Relaciones comerciales de los hicsos con Micenas. La creciente tensión con los príncipes tebanos desemboca en conflictos armados; Amosis, el fundador de la XVIII Dinastía, consigue ocupar Avaris y someter a los hicsos.

Imperio Nuevo (h. 1550 a.C.–h. 1069 a.C.; XVIII–XX Dinastías)

La expulsión definitiva de los hicsos restablece la unidad del país. Empieza la edad de oro de Egipto. Amón alcanza reconocimiento universal y se convierte en el dios protector de la dinastía. Los faraones eligen el «Valle de los Reyes», en la orilla occidental de Tebas, como nueva necrópolis. La ampliación del ejército fortalece el imperio y

permite expediciones militares hasta Palestina y Siria; gran expansión territorial de Egipto bajo Tutmosis III. El creciente culto a Atón, divinidad solar, alcanza su punto culminante durante el reinado de Amenofis IV, que prohíbe las divinidades restantes, cambia su propio nombre por el de Ajenatón y traslada la corte a Amarna, en el Egipto Medio. Restauración del panteón tradicional con Tutankamón. Al comienzo de la XIX Dinastía, Pi-Ramsés, próxima a la actual Qantir, en el delta oriental, pasa a ser la capital. Batalla de Qadesh bajo Ramsés II. Fracasan los intentos de invasión llevados a cabo por los pueblos del mar, los libios y los nubios durante la XX Dinastía. Dificultades económicas y una serie de disturbios marcan el final del Imperio Nuevo.

Tercer Período Intermedio (h. 1069 a.C.–h. 747 a.C.; XXI–XXIV Dinastías)

Smendes, fundador de la XXI Dinastía, gobierna en el norte de Egipto desde Tanis; los sumos sacerdotes de Amón controlan el sur del país. Mediante la política de matrimonios entre parientes, ambas casas gobiernan en armonía. Shoshenq I funda la XXII Dinastía. Larga fase de reyes de distintas dinastías que gobiernan en paralelo. Príncipes de Sais (XXIV Dinastía) consiguen extender su

poder a la totalidad del delta. Pije, soberano del reino de Kush, en el actual Sudán, penetra hasta Menfis.

Período Tardío
(h. 747 a.C.–h. 332 a.C.;
XXV–XXXI Dinastías)

Shabaco, soberano de Kush, conquista Egipto y establece la XXV Dinastía, kushita, que termina en el año 671 a.C. con la invasión de los asirios. Éstos nombran reyes saítas. Auge de Babilonia, que en el año 626 a.C. consigue aniquilar a los asirios. En el 525 a.C. Egipto es sometido por Persia, la nueva gran potencia (XXVII Dinastía). Levantamientos contra los persas, que son expulsados por el rey Amirteo de Sais. Usurpación del trono por príncipes del

delta (XXIX Dinastía). Nectanebo I se hace con el poder (XXX Dinastía), después Egipto cae de nuevo bajo el dominio persa (XXXI Dinastía). En el año 332 a.C. Alejandro Magno conquista Egipto.

Período Greco-Romano
(332 a.C.–641 d.C.)

Los egipcios festejan a Alejandro como el brillante héroe que los libera del yugo persa. Fundación de Alejandría como nueva capital. Un general de Alejandro funda la estirpe de los ptolomeos, que gobierna durante 300 años. Construcción de templos en todo el país. Los gravosos impuestos son causa, una y otra vez, de disturbios. El decreto de la coronación de Ptolomeo V (196 a.C.) es grabado en una estela de basalto: la legendaria piedra de Rosetta. La dinastía macedonia termina con Cleopatra VII, hija de Ptolomeo XII, que intenta sin éxito mantener la independencia del país. En el año 30 a.C., Octavio, el futuro Augusto, ocupa Egipto, que pasa a ser una provincia del Imperio romano. Introducción del derecho romano, el griego se mantiene como idioma oficial. Egipto se convierte en el granero de Roma. Las duras condiciones de vida de la población autóctona provocan levantamientos. Difusión en Egipto del cristianismo, que finalmente bajo el reinado de Constantino I (306-337 d.C.) se convierte en religión oficial del estado. Los árabes conquistan Egipto en el año 641 d.C. El Islam pasa a ser la religión predominante si bien una minoría cristiana, la Iglesia copta, se mantiene hasta nuestros días.

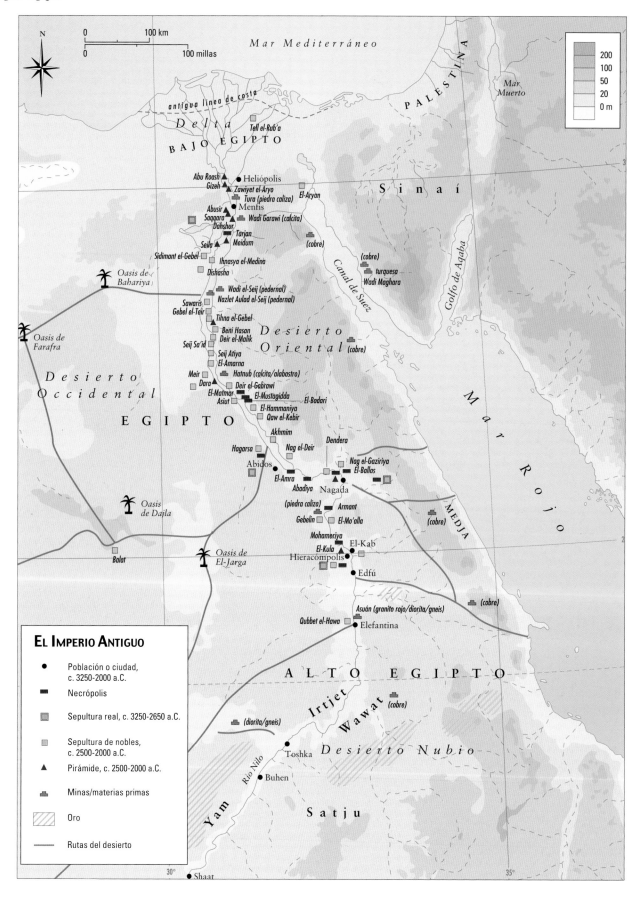

EL IMPERIO ANTIGUO

- ● Población o ciudad, c. 3250-2000 a.C.
- ▬ Necrópolis
- ▦ Sepultura real, c. 3250-2650 a.C.
- ▢ Sepultura de nobles, c. 2500-2000 a.C.
- ▲ Pirámide, c. 2500-2000 a.C.
- ⛏ Minas/materias primas
- ▨ Oro
- — Rutas del desierto

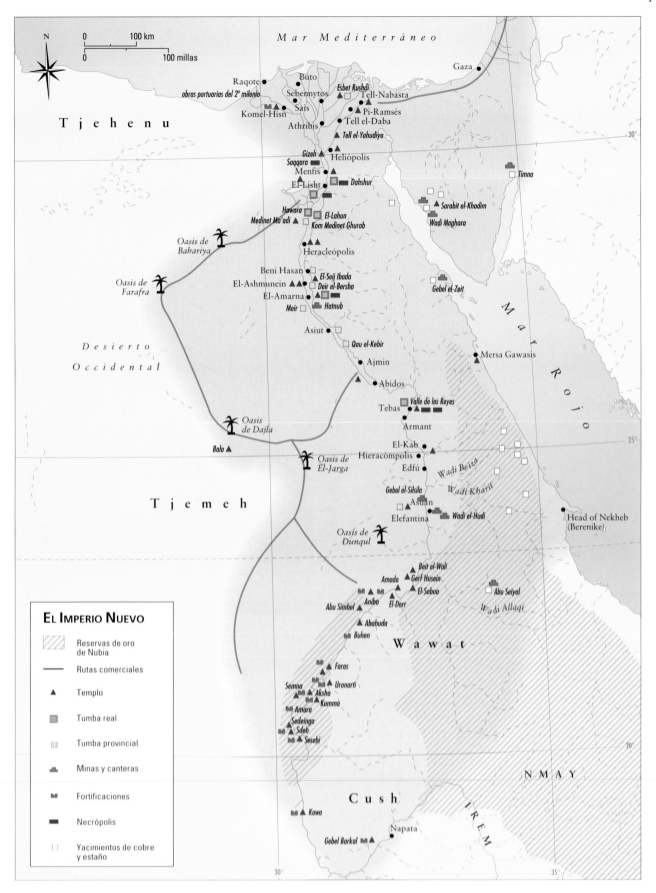

CAPÍTULO PRIMERO

El nacimiento de una gran civilización hacia 3300–2686 a.C.

Los indicios de poblamiento humano en Egipto se remontan en el tiempo hasta hace 200.000 años. Al principio se trataba aún de grupos nómadas de cazadores y recolectores. Hacia el año 10000 a.C., justo después de la última glaciación, aparecieron las primeras comunidades agrícolas, en coincidencia con otras partes de la tierra. En el país de los faraones los hombres empezaron a adaptarse a las fértiles riberas del Nilo; tanto en el sur, el Alto Egipto, como en el delta del norte, el Bajo Egipto, se formaron los primeros poblados. La denominación de Alto y Bajo Egipto hace referencia al cauce del Nilo, que fluye de sur a norte desde el interior de África. Este curso fluvial desempeñó un papel fundamental en el nacimiento de una de las más antiguas e importantes civilizaciones de la humanidad.

El bienestar en cualquiera de sus formas dependía de los obscuros aluviones del Nilo, ricos en nutrientes, que se depositaban en las orillas del río después de las inundaciones periódicas y que dieron al país su nombre egipcio: «kemet», «(tierra) negra». Esta fértil franja está rodeada en tres de sus lados por extensas zonas desérticas: el «desheret», «(tierra) roja», una región inhóspita que constituía una barrera natural frente a los territorios circundantes. El río era la arteria de la vida y del transporte, realizado este último en numerosas embarcaciones de papiro. El país brindaba abundantes fuentes de alimento, seguridad y vías de transporte eficientes: una infraestructura que la población nativa supo aprovechar con acierto.

El Período Predinástico

En el año 5000 a.C. Egipto era ya un país de culturas distintas, con usos y costumbres propios, como han podido comprobar los arqueólogos a través de los tipos regionales de inhumaciones, de la cerámica local y de los productos artesanales específicos. Faltaban todavía 2000 años para que se consumara la unidad política, pero en esta época se formaron ya estructuras de unión suprarregional.

El Período Predinástico estuvo marcado ya por características que luego fueron típicas de la época faraónica. Se desarrollaron métodos eficientes para la roturación y el riego de los campos, se perfeccionó la producción artesanal de objetos de adorno y piezas de alfarería, y se exploraron rutas comerciales para el intercambio de mercancías. El oro egipcio en especial fue muy apreciado posteriormente por los comerciantes de Asia Menor. La especialización y un bienestar creciente generaron una sociedad con grandes diferencias. Las sepulturas con ricas ofrendas sólo estaban al alcance de una elite y reflejaban su voluntad de conservar en el más allá su elevado estatus social.

La fe en una vida después de la muerte se descubre en especial a través de las costumbres funerarias. Los cadáveres se amortajaban y se disponían en sarcófagos con la mirada dirigida hacia el oeste, concretamente hacia el sol poniente. El curso del sol tenía un significado especial en el ciclo de la muerte y la nueva vida.

Página anterior: Paleta del rey Narmer, que representa al parecer escenas de la conquista que, según se cree, condujo a la unificación de Egipto en el 3100 a.C. En lo sucesivo las gentes del norte y del sur del país seguirían teniendo tradiciones distintas

y sintiendo recelo los unos de los otros, pero todos se consideraban afortunados de vivir en una tierra de abundancia cuyo benefactor era el generoso Nilo. La geografía del territorio –el Alto Nilo en el sur y el Bajo Nilo en el norte– venía establecida por el curso del río.

El Período Nagada

Hacia el año 4000 a.C. se creó una nueva cultura y comenzó el Período Nagada. Debe su nombre al primer gran yacimiento de esta forma de vida, hallado en el Alto Egipto, cerca de Abidos. El Período Nagada se prolongó a lo largo de unos 900 años y se desarrolló en tres etapas. Son especialmente característicos los objetos de alfarería, entre ellos, ante todo, los recipientes con el borde esfumado en negro de la primera etapa y las piezas con embarcaciones pintadas de la tercera etapa. Su excepcional calidad los convirtió en objetos muy valorados en el comercio de trueque con el Bajo Egipto. La cultura Nagada desarrolló técnicas refinadas para labrar piedras de gran dureza como la diorita, procedimientos que se perfeccionaron durante la segunda etapa de su desarrollo.

En el transcurso de la tercera etapa se alcanzó la unificación de Egipto y con ella la fase histórica de la consolidación política que sentó las bases para la formación del Estado predinástico. Algunos indicios parecen señalar que la unificación política del Estado se debió a la invasión armada de las tierras del norte que llevaron a cabo grupos de población del sur. Los objetivos de esa conquista podrían ser la ocupación de las feraces comarcas del delta y el control de las rutas comerciales con el Próximo Oriente. También es posible que algunos productos comerciales como la típica alfarería de la cultura Nagada se extendieran por el norte y que el comercio de trueque atrajera una migración que desembocó finalmente en conflictos armados y que allanó el camino hacia la unificación del país.

Los primeros reyes

En nuestros días aún no se sabe con certeza qué factores acompañaron la unificación política del Antiguo Egipto, ni qué papel desempeñaron exactamente las cooperaciones, las alianzas y los conflictos. En cualquier caso, hacia el año 3100 a.C. el país era gobernado por un solo rey y la estructura social estaba regulada con firmeza de acuerdo con una jerarquía establecida.

Izquierda: Estatuilla que procede probablemente de Nagada y se conoce como «Hombre de MacGregor» por el reverendo William Mac-Gregor, en cuya colección estuvo hasta 1922. Los artífices de las esculturas predinásticas no practicaban aún los convencionalismos del arte egipcio tardío, y por ello, sus creaciones dan la impresión de no ser egipcias.

Página siguiente: Detalle de la tumba de Najt, fechada en la XVIII Dinastía. Representa la recolección de uvas de una parra.

La tradición antigua atribuye la fundación del Estado y de la I Dinastía, así como la creación de la capital, Menfis, a un rey llamado Menes. No se dispone de pruebas coetáneas de la existencia de este rey, pero los anales del Imperio Nuevo y los historiadores del siglo III a.C. llaman Menetho al primer gobernante dinástico.

Es muy probable que el legendario rey Menes se corresponda con el faraón histórico Horus Aha, pero esta identificación se basa exclusivamente en indicios cronológicos. Los reyes predecesores de Menes, Escorpión y Narmer, últimos gobernantes del Período Predinástico, debieron de reinar sobre un Alto y un Bajo Egipto unidos. Los reyes de esta época suelen agruparse hoy bajo la denominación de Dinastía 0. Uno de los hallazgos más significativos de este período es la paleta del rey Narmer, que apareció en unas excavaciones en Hieracómpolis, en el Alto Egipto. Uno de sus lados es de pizarra y en él está representado el rey tocado con la corona del Alto Egipto y en actitud de derribar a un enemigo. En el otro lado aparece Narmer con la corona del Bajo Egipto inspeccionando dos filas de enemigos encadenados y decapitados. Los investigadores no han dilucidado si la escena representa una victoria histórica relacionada con la unificación de Egipto o si simboliza tal vez un acontecimiento de excepcional importancia en el recién establecido gobierno del faraón.

No es posible determinar con exactitud la duración del Período Dinástico Primitivo. En general, se considera que la I Dinastía se prolongó aproximadamente durante unos 200 años y la II Dinastía a lo largo de unos 150. Los anales conservados permiten reconstruir la sucesión de reyes y, en combinación con el material arqueológico, hacen posible una visión de conjunto del nacimiento de la brillante civilización egipcia.

El Período Dinástico Primitivo

Abidos, en el Alto Egipto, fue la necrópolis real de la I Dinastía. A finales del siglo XIX se realizaron en ella excavaciones arqueológicas que proyectaron el primer rayo de luz sobre los comienzos de los tiempos históricos en el Egipto de los faraones. También en Saqqara se descubrieron tumbas antiguas que proporcionaron información sobre los sepelios, la representación del más allá y las estructuras sociales.

Las construcciones funerarias de esta época son modestas; faltaban siglos para que los constructores de pirámides comenzaran sus obras. En Saqqara, el exterior de las grandes mastabas («mastaba» significa en árabe «banco de reposo») está provisto de una decoración con hornacinas que tal vez siga el modelo de templos y palacios anteriores. La edificación por encima del nivel del terreno está hecha con ladrillos de barro del Nilo. Este mismo material de construcción se empleó también en Abidos, pero allí sólo se ha conservado la parte subterránea de los sepulcros, consistente en varias cámaras cubiertas por una sólida estructura de vigas.

Arriba: Detalle de una pared pintada en la tumba de Menna, en Tebas Oeste, fechada en la XVIII Dinastía. Muestra una escena de recolección de trigo con un trabajador amontonando el grano, otro descansando y un tercero tocando la flauta. Los amplios excedentes de trigo se almacenaban en silos como reserva frente a posibles épocas de cosechas exiguas. Si bien los egipcios fueron grandes innovadores, una vez que se establecía un método efectivo, solía mantenerse. La agricultura constituye un buen ejemplo de ello.

Alrededor de la tumba central, la del rey, se disponen en algunos casos varias hileras de sepulturas menores que corresponden probablemente a personas próximas al soberano. También se ha apuntado a que podría tratarse de algún tipo de sacrificio humano.

El análisis arqueológico apoya esta tesis por el hecho de que la construcción y el sellado de las tumbas secundarias se realizaba sin solución de continuidad. Tanto en la sepultura del rey como en las secundarias se depositaban numerosas ofrendas, entre ellas alimentos contenidos en grandes vasijas de barro. El hecho de que pudieran retirarse alimentos del ciclo alimentario de la población permite suponer, en primer lugar, la existencia de una sobreproducción y de una economía rica, pero esta práctica se abandonó más tarde. En el Imperio Antiguo la desmesurada ofrenda de alimentos naturales se sustituyó por relieves coloreados que representan escenas de producción de alimentos y de sirvientes, con el fin de asegurar de un modo mágico en el más allá el avituallamiento y el estatus social de los fallecidos.

Las ricas y abundantes ofrendas funerarias, en especial las de las tumbas de los reyes, pronto tentaron a personajes dudosos. Si bien al principio las sepulturas eran sólidas y se construían con adobes y sin entrada, más tarde pasillos y escaleras permitían el sepelio en tumbas preparadas de antemano y de más fácil acceso. Ni los mecanismos cada vez más sofisticados que sellaban los mausoleos, ni los enormes bloques de piedra empleados con tal fin en las pirámides, cerraron el paso a los ladrones, de manera que durante los 3000 años siguientes el saqueo de tumbas se repitió una y otra vez.

La separación entre las sepulturas y el culto, tal como se dio después en las pirámides con los templos funerarios antepuestos y los más alejados templos del valle, es seguramente una evolución acontecida durante el Período Dinástico Primitivo.

Las estelas con inscripciones de las tumbas reales de Abidos permiten hacer deducciones sobre el mundo de los dioses en aquellos tiempos, dado que en ellas aparecen signos de escritura con forma de halcón, que aluden sin duda al rey como Horus. Sin embargo, el mito de Osiris y Horus es muy posterior. Según él, Horus ocupó el trono de Osiris, su padre, después de que éste fuera asesinado por Seth, hermano de Osiris. Isis, su esposa, dio nueva vida a su difunto marido, pero Osiris no permaneció en este mundo sino que se convirtió en el señor de los muertos, mientras su hijo Horus gobernaba como rey terrenal.

La monarquía

Los grandes faraones eran considerados una encarnación del dios Horus y herederos legítimos del trono; a su muerte se convertían en el dios Osiris. Los monarcas gozaban de veneración y culto propios, en atención a su carácter de intermediarios entre el mundo de los dioses y el de los hombres.

Una de las tareas primordiales del rey consistía en contentar a los dioses para mantener de este modo el orden cósmico. Ello implicaba reprimir tanto las fuerzas caóticas internas que amenazaran el orden como a los invasores enemigos procedentes del extranjero. Así surgió la imagen del rey vencedor de enemigos o la del gran león enfurecido entre enemigos, un símbolo de la fuerza del soberano.

El dios Seth, asesino de su propio hermano, encarnaba el desorden y el caos, y era al mismo tiempo el dios de la fuerza, del desierto y de los países extranjeros. El caos se concebía como parte integrante de la creación, el necesario polo opuesto del orden.

Abajo: Detalle de un fragmento de la «Paleta del campo de batalla», una obra del Período Predinástico tardío que muestra al rey como un león que devora a uno de sus enemigos mientras los cuerpos de los restantes están esparcidos sobre el campo de batalla.

La condición divina del faraón procuraba al monarca un gran respeto por parte de sus súbditos. Estaba prohibido tocar al rey, ni siquiera involuntariamente, porque sus fuerzas sobrenaturales no debían menoscabarse. Incluso estar a su sombra se consideraba un presagio funesto.

El término «faraón» proviene del egipcio «per-a'a», «gran casa», y se refiere tanto al palacio como a la extensa corte que en él residía. La denominación del rey como faraón no está documentada antes del Imperio Nuevo, pero puede provenir de equiparaciones más antiguas de la residencia real con el propio rey.

La estructura social

La cúspide de la sociedad la ocupaban las personas más próximas al monarca: su familia y los miembros de la corte, seguidos de los grandes sacerdotes y los dignatarios. El visir, en su condición de consejero real y primer funcionario, era la segunda persona más poderosa del Estado. En algunas épocas se repartieron el cargo dos visires, cuya competencia se limitaba a una de las dos mitades del país.

La posición del rey como cabeza del sistema religioso y político, lo que incluía también la economía, la justicia y el ejército, conllevó que tuviera que delegar sus funciones y organizarlas con gran rigor. De ahí que se creara con el paso del tiempo un gran aparato administrativo con un cuerpo de funcionarios cada vez más imaginativo. El funcionariado incluía sacerdotes, escribas y artesanos, así como también artistas, entre ellos principalmente los especialistas de palacio.

Su talento superaba de largo la artesanía estrictamente necesaria y de sus habilidosas manos salieron objetos de lujo para este mundo y magníficas ofrendas funerarias para el más allá. Los conocimientos y la práctica profesionales elevaron en gran manera el nivel artístico en todos los campos, tanto en lo que respecta al trabajo de las más diversas clases de piedra, como en lo relativo a la fundición de metales, la cerámica o la creación de perfumes. En todas las épocas los campesinos constituyeron la mayor parte de la población. Trabajaban los campos siguiendo el ritmo anual de las inundaciones del Nilo. Cuando el nivel de las aguas cubría las tierras, cesaban los trabajos agrícolas y los campesinos realizaban otras tareas, por ejemplo en las construcciones estatales o en los servicios públicos.

La mayoría de los campos cultivados por los labriegos pertenecía al rey, pero en la práctica eran administrados por sus funcionarios, por los dirigentes locales, o posteriormente, por miembros de las instituciones religiosas. El laboreo de los campos comenzaba tras la retirada de las aguas de inundación. La tierra se esponjaba con sencillos aperos y se realizaba la siembra. Se cultivaba sobre todo distintas clases de cerea-

Arriba: Detalle de la «Paleta de los dos perros», encontrada en Nejen (Hieracómpolis). Entre otros animales, muestra a un grifo y a un chacal, o un hombre con máscara de chacal, tocando la flauta. Para los egipcios, los desiertos que bordean el valle del Nilo eran la guarida de animales salvajes y bestias míticas que representaban el caos.

les, como la cebada y el trigo (en realidad un trigo primitivo: *Triticum dicoccum*). La mayor parte de la cosecha iba a parar a los graneros estatales y servía como medio de pago y como existencias de reserva. Prevenirse para los malos tiempos era muy importante, porque un nivel demasiado alto o demasiado bajo de la inundación podía comportar graves consecuencias para las cosechas y, por ende, para el aprovisionamiento de la población.

En todas las épocas las clases sociales menos favorecidas intentaron mejorar su situación procurándose por sí mismas reservas adicionales; la fruta y la verdura de cosecha propia y la pesca obtenida en el Nilo eran mercancías de trueque.

Hacia el final del Período Predinástico, el Estado egipcio había desarrollado ya sus rasgos básicos y tenía a su disposición enormes recursos. Tras la fundación de la III Dinastía en el año 2690 a.C. comenzó el Imperio Antiguo, y con él, la edad de las grandes pirámides envueltas en secretos. En los 500 años siguientes los pobladores del Nilo iban a realizar obras fantásticas que aún hoy son motivo de sorpresa y admiración.

Derecha: Estatua de Jasejem, finales de la II Dinastía, una de las dos esculturas depositadas en el templo de Horus en Hieracómpolis. El rey viste un traje asociado a las fiestas del jubileo, en las que se renovaba el poder del soberano.

CAPÍTULO SEGUNDO

La época de las pirámides
hacia 2686–2181 a.C.

Al comienzo de la III Dinastía existía en Egipto un complejo orden social, con el faraón como cabeza suprema del Estado y de la Iglesia. Las inundaciones anuales del Nilo regalaban al país un bienestar insospechado y los progresos tecnológicos permitían la realización de enormes proyectos a mayor gloria del faraón. Comenzaba el Imperio Antiguo, la primera época de esplendor de la civilización egipcia.

La preocupación por la continuidad de la vida después de la muerte fue una idea omnipresente en el Antiguo Egipto, de manera que los ritos funerarios adquirieron una complejidad creciente con el transcurso del tiempo. Se siguieron empleando las mastabas como sepultura de los altos funcionarios y de los miembros de la elite, pero las tumbas de los reyes alcanzaron un nivel totalmente nuevo y sorprendente. Su planificación y realización requerían décadas; millares de obreros, puntualmente varias decenas de miles, movían bloques de piedra de toneladas de peso para superponerlos por capas hasta formar una montaña. Había empezado la época de los grandes constructores de pirámides.

Como forma arquitectónica, la pirámide (el término procede del griego y designa un pastel de trigo tostado y miel de aspecto semejante) siguió empleándose hasta el fin de la historia del Antiguo Egipto, pero en sus proporciones monumentales estas construcciones se limitaron a la época del Imperio Antiguo. Las pirámides posteriores se levantaron a menor tamaño y con menos dificultades, hasta que hacia el año 1550 a.C. se renunció a ellas en beneficio de las tumbas del Valle de los Reyes. Es posible que en esta evolución la seguridad desempeñara un papel impor-

tante, puesto que el despliegue en el interior de las pirámides de las medidas de protección más sofisticadas no logró ponerlas a salvo de los saqueadores de tumbas. Además, las galerías excavadas en la roca de la orilla occidental de Tebas constituían la mejor alternativa desde el punto de vista económico. Al comienzo de la III Dinastía se inició una evolución que alcanzó su cúspide con la construcción de los monumentos más gigantescos de la Antigüedad.

Las primeras pirámides

Nebka, el fundador de la III Dinastía, es un faraón poco conocido. Su sucesor, Zoser, fue uno de los reyes más significativos de la época. Este soberano introdujo cambios que constituyeron innovaciones revolucionarias en el campo de la construcción de tumbas, tanto por lo que respecta a la propia realización arquitectónica como al contenido simbólico de las sepulturas reales. Partiendo de las mastabas se emprendieron ampliaciones por medio de la construcción de niveles superiores adicionales progresivamente más estrechos.

La tumba de Zoser sobresale del suelo formando seis escalones que alcanzan los 62 metros de altura sobre una base de 13.000 metros cuadrados. Simbolizaba con ello una escalera de piedra que conducía al cielo: con su ayuda el rey podía alcanzar el firmamento para ocupar su lugar entre los dioses. Hacia el año 2650 a.C., la pirámide escalonada de Zoser era la mayor construcción realizada por la mano del hombre y la primera hecha de piedra en su totalidad. Muchos de los detalles de la decoración arquitectónica imitaban los principales materiales empleados en el pasa-

Página anterior: Las pirámides de Gizeh, una de las siete maravillas del mundo antiguo.

Arriba: Detalle de la estela de madera de la mastaba de Hesire, médico jefe y escriba durante el reinado del rey Zoser. Los oficiales de alto rango recibían sepultura generalmente en los complejos funerarios de los soberanos a los que servían. La tumba de Hesire se construyó cerca de la pirámide escalonada de Zoser en Saqqara.

mación de los dignatarios. Junto a la pirámide de Zoser se extendían patios y complejos de edificios, y el conjunto estaba rodeado por una alta muralla. Además de construcciones ceremoniales, destinadas a rendir culto al soberano fallecido, había otros edificios que imitaban la arquitectura civil. Así surgió Saqqara, una ciudad prototípica destinada a ser la sede del monarca fallecido en el mundo de los muertos. En ella existe un pequeño patio a cuyo alrededor se agrupan las capillas de piedra del Hebsed. La fiesta del Sed o Hebsed se celebraba como jubileo de los 30 años de reinado de un faraón y con ella se pretendía renovar su fuerza vital. Al integrar estas construcciones en el recinto funerario se intentaba garantizar el continuo rejuvenecimiento del soberano.

En el lado norte de la pirámide se hallaba el templo funerario y allí se encontraba también la entrada a un laberinto subterráneo de pasadizos y cámaras. Posteriormente, los templos funerarios se erigieron en el lado este, desde donde un camino los comunicaba directamente con el templo del valle, situado junto al Nilo. Este esquema, relacionado con el curso del sol, unía la tumba del rey a los acontecimientos cósmicos.

La IV Dinastía

El fundador de la IV Dinastía fue Snofru, el primer faraón que construyó una pirámide propiamente dicha, con los lados exteriores lisos. No está claro su origen ni su posible relación familiar con Huni, el último rey de la III Dinastía. Snofru trasladó la corte desde Menfis hacia el sur, a Meidum. Allí empezó a construir su tumba real, que originariamente se proyectó como una pirámide escalonada. Con el paso del tiempo los planos se modificaron en varias ocasiones, y probablemente, una vez finalizados los trabajos de construcción, surgió la idea de rellenar los escalones para darle la forma de una verdadera pirámide de lados lisos. El símbolo de la escalera de piedra que permitía al rey fallecido subir al cielo perdió así relevancia en favor de una nueva estructura exterior más armoniosa.

Los restos de la pirámide de Meidum presentan hoy un aspecto extraño. Todavía se conservan los tres pisos del núcleo central de mampostería, que emergen de una enorme masa de cascotes y piedras. La falta de estabilidad y el robo posterior de piedras del revestimiento exterior causaron el desplome de éste. El hecho de que dos estelas de un pequeño templo del lado oriental carezcan de inscripciones permite suponer que todo el complejo perdió muy pronto su condición de tumba real. Es probable que, en el decimoquinto año de su reinado, Snofru regresara con la corte al norte y ordenara la edificación de una nueva pirámide en Dahshur. Esta construcción se conoce como la «pirámide quebrada» por su peculiar aspecto: las caras exteriores son muy empinadas desde la base hasta media altura, desde donde el ángulo de inclinación se

do, adobe y junco. De este modo, por un lado se enlazaba con las tradiciones de los predecesores y, por otro, se perpetuaba su herencia por medio de un material mucho más duradero, la piedra. Este elemento permitía alcanzar unas grandes dimensiones totalmente nuevas y expresaba al mismo tiempo la condición imperecedera del reino. Realmente la construcción de las pirámides constituyó una obra maestra por su técnica y su logística, una empresa que sin un Estado con un poder central capaz de imponer el trabajo organizado bajo la amenaza del castigo no hubiera sido posible.

Imhotep, visir y erudito en todos los campos del saber, ha pasado a la historia como el constructor de la primera pirámide. Como consecuencia de su genial actuación, en épocas posteriores se le veneró como a un dios, un privilegio que las personas particulares sólo consiguieron en contadas ocasiones.

A la hora de buscar un lugar para la construcción, la elección recayó en Saqqara, la necrópolis de Menfis, que hasta las últimas épocas se mantuvo como centro de inhu-

reduce ostensiblemente hasta la cúspide. Esta curiosa forma se debe a las grietas y rajas que aparecieron en la mampostería, que obligaron a aligerar el peso de la piedra en la parte superior de la pirámide. Con motivo de esta problemática se inició la construcción de otra pirámide en Dahshur, que por el color oscuro de la piedra hoy se conoce como la «pirámide roja». La madurez técnica alcanzada permitió establecer que el ángulo de inclinación óptimo era el de 45°. Fue la primera pirámide verdadera y la última construida por Snofru.

Tanto la pirámide de Meidum como las dos de Dahshur contienen una innovación que se aplicó también en las posteriores: la cámara mortuoria ya no se sitúa en las profundidades de la roca subyacente sino en el interior de la propia pirámide. Este cambio en la concepción de la cámara obligó a construir sólidas bóvedas, pues sólo de este modo las cubiertas de los espacios interiores podían soportar la enorme presión de las masas de piedra.

Keops, hijo y sucesor de Snofru, ordenó la edificación en Gizeh de la que sería la mayor pirámide de Egipto y la única de las siete maravillas de la Antigüedad que se conserva en nuestros días. Junto a ella se levantan las pirámides de Kefrén y Micerino, dos reyes pertenecientes también a la IV Dinastía. Cada una de estas tres pirámides sigue el mismo esquema. Alrededor de ellas se distribuyen las pirámides de menor tamaño de las esposas reales y las mastabas de otros miembros de la familia real y

de altos funcionarios. Un camino conducía desde el templo funerario hasta el templo del valle, unido al Nilo por un canal.

La conservación de los cuerpos

El cadáver de Keops y su ajuar funerario cayeron en manos de los profanadores de tumbas en la Antigüedad, pero en 1925 se descubrió junto al lado oriental de la gran pirámide la tumba de pozo casi intacta de su madre, Heteferes. El sarcófago de la reina estaba vacío, pero los vasos canopes contenían restos de sus vísceras. Durante la IV Dinastía prosiguieron los experimentos con nuevas técnicas de momificación, entre ellas la consistente en extraer los órganos internos. Si bien la seca arena del desierto permitía conservar los cuerpos durante un tiempo, al comenzar las inhumaciones en sepulcros y cámaras cerrados herméticamente los cuerpos se corrompían de dentro afuera. Sin embargo, para la continuidad de la vida en el más allá revestía una importancia fundamental la conservación de los cuerpos en este mundo. De ahí que se intentara impedir el proceso de descomposición por medio de la extracción de los órganos y del secado arti-

Abajo: Detalle de la pared interior de la mastaba de Nefermaat y Atet en Meidum, donde se descubrieron algunos de los mejores ejemplos de la pintura funeraria de la IV Dinastía.

ficial de los cuerpos con sal sódica. Pese a todo, durante el Imperio Antiguo aún no se había logrado la conservación duradera de los tejidos corporales y se modelaba la forma exterior del cadáver con vendas de tela, incluidos los genitales, los pechos, los ojos, la boca y la nariz. Hasta el Imperio Medio no se comenzó a extraer el cerebro durante el proceso de momificación. Mientras que el hígado, los pulmones, el estómago y los intestinos se embalsamaban por separado y se inhumaban junto con la momia en el interior de los vasos canopes, no se prestaba la más mínima atención al cerebro, que se extraía por la nariz o la nuca. Los egipcios consideraban que el corazón era el centro de la inteligencia y los sentimientos, por lo que debía permanecer en el cuerpo para rendir cuentas de la vida que había llevado el fallecido en el juicio del más allá ante Osiris. Como alternativa se colocaba en el lugar del corazón un escarabajo pelotero, que por su carácter mágico debía conseguir una sentencia más favorable tras el juicio: si el corazón pesaba más que la pluma de la verdad y la justicia, el alma era devorada por un temible demonio, el devorador de muertos.

La esfinge

Didufré, hijo y sucesor de Keops, comenzó la construcción de su pirámide en Abu Roasch, unos kilómetros al norte de Gizeh. Debido a la corta duración de su reinado, tan sólo ocho años, la estructura quedó incompleta. Hacia el año 2558 a.C. le sucedió en el trono su hermanastro Kefrén, que de nuevo hizo construir su pirámide en Gizeh, cerca de la gran pirámide de su padre y en diagonal con ella. En la meseta de Gizeh, junto al templo del valle de Kefrén, se alza la Gran Esfinge, con la mirada orientada al este, hacia el sol naciente. Los rasgos del rostro de este ser con cuerpo de león y cabeza humana se consideraron una réplica de los de Kefrén, pero las investigaciones recientes sugieren que se trata probablemente de los de Keops. Aunque la colosal figura fuese en el momento de su realización una imagen del rey de los dioses, durante el Imperio Nuevo se la identificó con el dios del sol.

Una estela entre las garras delanteras se refiere a Tutmosis. Explica que la esfinge se le apareció en sueños al príncipe y le prometió que si la liberaba de la arena le concedería la dignidad real. Tutmosis cumplió el deseo de la esfinge y subió al trono de Egipto como Tutmosis IV.

Gizeh

La pirámide de menor tamaño de la meseta de Gizeh es la de Micerino. La notable reducción de sus dimensiones se supone que fue una consecuencia de la explotación de todos los recursos del país llevada a cabo durante decenios por los predecesores de este soberano. El revestimiento, del que quedan pocos restos, era de granito rojo en la parte inferior y de piedra calcárea blanca en la superior, una combinación que recuerda, tal vez no por casualidad, los colores de la corona del país. Shepseskaf, el sucesor de Micerino, completó la obra inacabada con la fugaz mampostería hecha con el barro del Nilo. Para su propia tumba recurrió a la vieja y honorable forma de la mastaba. Si bien Shepseskaf se construyó una mastaba de gran tamaño, este monumento parece modesto en comparación con las enormes pirámides.

La V Dinastía

Las circunstancias exactas del paso de la IV a la V Dinastía permanecen en la oscuridad, pero según parece, le correspondió un papel importante a la viuda del rey, que ostentó el curioso título de «Madre de dos Reyes del Alto y Bajo Egipto». El fundador de la V Dinastía fue Userkaf, quien hizo construir su pirámide en Saqqara y al mismo tiempo ordenó levantar un templo al sol en Abusir, a donde sus sucesores trasladaron también la necrópolis real. Las pirámides de los soberanos de la V Dinastía fueron considerablemente más pequeñas que las de la dinastía anterior, pero la edificación de otros templos del sol en Abusir comportó la existencia de dos grandes centros de construcciones de la realeza.

El culto a Ra, dios del sol, alcanzó su punto culminante bajo los faraones de esta época. Heliópolis, en su condición de colina primigenia y lugar más antiguo de veneración de los dioses de la creación cósmica Ra y Atón, se convirtió en el principal centro religioso del país. El título de «Hijo de Ra» pasó a formar parte de los atributos del rey y desde entonces los faraones se gloriaron de ser descendientes directos del dios del sol.

El rey Unas

Unas fue el último de los soberanos de la V Dinastía. A la pequeña pirámide construida durante su reinado en Saqqara, muy cerca de la de Zoser, le robaron su revestimiento y su aspecto exterior, que hoy es el de un montón de cascotes. En su interior alberga una de las más antiguas colecciones de textos religiosos de la humanidad. En las paredes de la antecámara y de la cámara mortuoria aparecen hermosos jeroglíficos, denominados por los egiptólogos Textos de las Pirámides, que contienen proverbios sobre la existencia en el más allá y estaban desti-

Página anterior: Los escribas formaban parte de la elite en la estructura social de los antiguos egipcios. No eran simples funcionarios sino oficiales superiores involucrados en todos los aspectos del gobierno. En las obras de arte, los escribas aparecen invariablemente sentados, con las piernas cruzadas y un rollo de papiro sobre sus rodillas.

nados a ayudar al rey fallecido en su ascensión a los cielos. Los reyes de la VI Dinastía también emplearon proverbios de poderosos efectos salvíficos para la decoración interior de sus pirámides.

Al igual que el exterior de la pirámide de Unas, el camino que conduce al templo del valle está destruido en gran parte, pero perviven algunos fragmentos de la pared. Los relieves decorativos muestran diversas escenas de las construcciones realizadas por el rey, entre ellas el transporte de columnas en barca por el Nilo, y representaciones de la naturaleza.

La decadencia del Imperio Antiguo

Poco se sabe de las circunstancias que rodearon el cambio de la V a la VI Dinastía y que condujeron a la decadencia del Imperio Antiguo. Teti, el primer rey de este nuevo linaje, se casó con una hija de Unas, quien evidentemente no tuvo heredero varón. Al parecer, el hecho cada vez más frecuente de que los cargos de los altos funcionarios y de los sumos sacerdotes fueran hereditarios causó tensiones internas. Unos 2000 años después, un historiador sostuvo incluso que Teti murió asesinado. De hecho, un rey llamado Userkare ocupó el trono antes que el hijo de Teti, Pepi I, circunstancia que algunos investigadores califican de intento de golpe de Estado.

El reinado de Pepi I estuvo marcado por la agitación. Existe constancia histórica del procesamiento de su primera esposa, acusada de conspiración. Como consecuencia, Pepi contrajo matrimonio sucesivamente con dos hijas de un dignatario del Alto Egipto; sin duda, una medida adoptada para asegurar la estabilidad política. De estas uniones nacieron los futuros reyes Merenre y Pepi II. A pesar de que estallaron diversos tumultos, en esta época se llevaron a cabo expediciones que llegaron hasta Biblos (Fenicia) y Punt (costa de Somalia).

Después de la temprana muerte de su hermanastro, Pepi II subió al trono cuando era todavía un niño; su reinado, de 94 años de duración, debe de haber sido realmente el más largo de la historia de Egipto. En su última etapa abundaron las pérdidas de impuestos y los ataques de los beduinos.

La última soberana del Imperio Antiguo fue una reina llamada Nitocris, cuya existencia no está atestiguada por ningún monumento de la época.

La concurrencia de diversos factores negativos –entre ellos los problemas económicos, la burocracia estatal y la ausencia de las inundaciones del Nilo– condujeron finalmente a la caída definitiva del Imperio Antiguo en el año 2190 a.C.

Izquierda: Estatua del rey Zoser, de la III Dinastía, que reinó entre 2667 a.C. y 2648 a.C. Luce el tocado nemes y la barba postiza ceremonial que formaban parte de las insignias reales. Se sabe poco acerca de la vida de Zoser, pero se le recuerda por su magnífico monumento funerario, la pirámide escalonada.

Construida en Saqqara, una importante necrópolis situada al oeste de la capital, Menfis, la pirámide escalonada fue la evolución natural a partir de las bajas tumbas rectangulares de tipo mastaba que la precedieron. La proyectó el célebre visir y arquitecto Imhotep, y marcó el inició de un milenio durante el cual se construyeron en gran número estos monumentos admirables. La pirámide escalonada no era sólo una tumba enorme sino que formaba parte de todo un complejo que recreaba la ciudad de Menfis para que Zoser la siguiera presidiendo en su vida de ultratumba. La estatua apareció en el serdab, una habitación especial destinada a acoger la estatua ka del rey difunto. El ka era un doble espiritual que, según las creencias egipcias, seguía viviendo después de la muerte, por lo que necesitaba sustento diario.

Arriba: El uso de incrustaciones de pasta coloreada fue al parecer un experimento artístico poco duradero que se llevó a cabo durante la IV Dinastía. Este ejemplo pertenece a la tumba de Nefermaat y Atet en Meidum.

Derecha: Estatuas de piedra caliza pintada del príncipe Rahotep -que debió de ser hijo del rey Snofru, fundador de la IV Dinastía- y su esposa Nofret. Las descubrió en 1871 el egiptólogo francés Auguste Mariette en una mastaba próxima a la pirámide de Meidum. Ésta se proyectó como una pirámide escalonada, pero posteriormente se rellenaron sus caras y se convirtió así en la pirámide propiamente dicha más antigua que se conoce. Al parecer, el proyecto se abandonó finalmente porque Snofru se había hecho construir dos pirámides más en Dahshur.

Derecha: Los orígenes de la pirámide de Meidum son inciertos. Podría haber pertenecido a Huni, el último rey de la III Dinastía, o a su hijo Snofru, el fundador de la IV Dinastía. En realidad, ambos debieron de contribuir a su construcción: el padre impulsando el proyecto y el hijo llevándolo a cabo. El hecho de que no haya estelas inscritas asociadas a la pirámide de Meidum refuerza la teoría de que Snofru la abandonó; se piensa que su lugar de descanso es la llamada pirámide roja, en Dahshur.

Izquierda: Esta silla dorada formaba parte del impresionante ajuar funerario encontrado en la tumba de la reina Heteferes I, descubierta en 1925 cerca de la gran pirámide de su hijo, el faraón Keops. Todas las pirámides se convirtieron rápidamente en objetivo de los ladrones, pero la sepultura de Heteferes se libró de los saqueadores de tumbas de la antigüedad y proporcionó una de las mejores evidencias acerca de las prácticas de enterramiento real durante el Imperio Antiguo.

Abajo: Capilla de la tumba de Meryre-nufer Qar, supervisor del complejo de las pirámides de Keops y Micerino e inspector de los sacerdotes de la pirámide de Kefrén. Fue enterrado en el viejo cementerio de la IV Dinastía en Gizeh. Las figuras están talladas directamente en la roca.

Izquierda: En 1954 se descubrió el primero de los cinco barcos solares que aparecieron cerca de la gran pirámide de Keops. Estaba formado por cerca de 1200 piezas de cedro, acacia y otras maderas, materiales para una embarcación de más de 40 metros de largo y cerca de 6 metros de manga. A los expertos les llevó más de dos décadas completar este intrincado rompecabezas. Se han descubierto embarcaciones similares antes y después, pero el majestuoso barco funerario de Keops sigue siendo una de las joyas recuperadas de la época faraónica. Se expone en el Museo del Barco de Gizeh.

Los barcos desempeñaban un papel significativo en las creencias funerarias egipcias. Se creía que el dios del sol, Ra, viajaba a través de los cielos y del Inframundo en un barco solar, y que el rey se embarcaba en un viaje similar tras la muerte. Por ello, el cuerpo de Keops debía ser transportado en esta embarcación en su viaje final, que satisfacía las funciones prácticas y las simbólicas.

Izquierda: Las pirámides de Gizeh, una de las siete maravillas del mundo antiguo. Gizeh fue la necrópolis más importante de los reyes egipcios de la IV Dinastía. La construcción de las pirámides alcanzó su zenit con los complejos sepulcrales de Keops, su hijo Kefrén y su nieto Micerino. La pirámide de Kefrén, en el centro, parece más grande que la gran pirámide de Keops, más alejada, pero se trata de una ilusión óptica debida a que se construyó en un terreno más elevado. No obstante, el complejo piramidal de Kefrén es el mejor conservado de los tres, sobre todo el magnífico templo dedicado a él. El vértice de la pirámide de Kefrén todavía conserva en parte su revestimiento original de piedra caliza de Tura. La mayor parte de dicho revestimiento se usó durante el siglo XIX para trabajos de construcción en El Cairo.

Cómo se construyeron las pirámides

Por desgracia, los antiguos egipcios no dejaron ninguna descripción de cómo habían construido las pirámides, y por ello circulan innumerables especulaciones, algunas muy aventuradas, sin que el enigma de su edificación se haya resuelto de manera satisfactoria.

Para la medición del emplazamiento utilizaban probablemente cuerdas tirantes, y para nivelar la base, niveles triangulares con plomada. Uno de los problemas mayores lo constituye la descarga y transporte de enormes piedras sillares que en algunos casos pesaban hasta 15 toneladas. Habitualmente, se parte del supuesto empleo de rodillos o de pistas preparadas con barro, pero a este respecto surge el problema de la gran resistencia producida por el roce y el del abastecimiento de agua. Por ello parece más probable el empleo de patines de piedra arrastrados sobre una pista firme y deslizante, que se mantenía resbaladiza mediante el uso de aceite o grasa. Los ángulos rectos pueden determinarse con simples escuadras de madera o, a mayor escala, por un sistema de puntos de intersección en un círculo. Los conocimientos astronómicos permitieron la exacta orientación de las pirámides con relación a los cuatro puntos cardinales. Para el eje norte-sur se tomó como referencia el curso del Nilo y para el eje este-oeste, el trayecto del sol en el firmamento.

Uno de los mayores secretos de los constructores de pirámides es el de cómo colocaban los enormes bloques de piedra en su emplazamiento final. En general, se acepta el supuesto de que construían rampas para las capas inferiores. Para la zona superior las investigaciones partieron, entre otras, de la teoría del uso de pequeñas rampas móviles en torno a la pirámide. También parece plausible la idea de la construcción escalonada partiendo del centro. Las más recientes excavaciones en Gizeh han aportado nuevos conocimientos al descubrir cementerios de trabajadores. Según las inscripciones halladas en ellos, los trabajadores estaban distribuidos en cuadrillas, destinadas cada una de ellas a uno de los cuatro lados de la pirámide, y por lo tanto, existían al menos cuatro grandes equipos en los que se coordinaba a los trabajadores.

Arriba: Escultura del rey Kefrén, de la IV Dinastía, que reinó entre 2558 a.C. y 2532 a.C. Kefrén subió al trono tras la muerte de su hermanastro Didufré. Fue el último que antepuso «Sa Re» (hijo de Ra) a la nomenclatura real, y así mantuvo su relación titular con el Dios Sol.

Página siguiente: Estela de piedra caliza pintada que muestra a la princesa Nefertiabet, de la IV Dinastía. Su vestido de piel de pantera se corresponde con el de las sacerdotisas; este término designa a las trabajadoras del templo y no implica ningún grado de formación teológica. Los que trabajaban en los templos eran en su mayoría hombres, pero las mujeres de las clases sociales más altas también participaban en esas tareas, que incluían el culto a los dioses.

La Gran Esfinge

Al este de las pirámides, en el borde de la meseta de Gizeh, se halla la monumental figura de la Gran Esfinge, al lado del templo del valle del faraón Kefrén. La estatua, tallada a partir de las rocas existentes en ese mismo lugar, mide 73,5 metros de longitud y 20 de altura. Según el estado actual de las investigaciones, los rasgos de su rostro corresponden a Keops, el constructor de la gran pirámide.

Las esfinges eran en general imágenes votivas que representaban a reyes y con menor frecuencia a reinas o dioses. Por lo tanto, la alada esfinge femenina de la leyenda griega, que devoraba brutalmente a las víctimas que no sabían resolver los enigmas que les planteaba, tan sólo comparte el nombre con la esfinge egipcia.

Además de las conocidas figuras con cuerpo de león y cabeza humana, en Egipto se hicieron esfinges con cabeza de halcón y de carnero.

En el Imperio Nuevo la Gran Esfinge de Gizeh había alcanzado el rango de divinidad y recibía culto como Harmajis, «Horus en el Horizonte».

Arriba: El enanismo no era inusual en el Antiguo Egipto. Lejos de conducir al ostracismo, el crecimiento atrofiado llevaba al parecer a quienes lo sufrían a disfrutar de un estatus favorable, por lo que con frecuencia alcanzaban cargos de responsabilidad. El de la imagen es Seneb, el enano jefe del palacio, con su esposa Senetites y sus hijos. Seneb era responsable del vestuario real y también sacerdote de los cultos funerarios de los reyes Keops y Didufré, de la IV Dinastía.

Arriba: Esta estatua de tamaño natural esculpida en sicómoro del sacerdote Kaaper, de finales de la IV-principios de la V Dinastía, se considera una de las obras maestras del Imperio Antiguo. La descubrió el egiptólogo francés Auguste Mariette, que excavó la mastaba de Kaaper en Saqqara a mediados del siglo XIX. El equipo de excavación encontró un parecido entre esta estatua y el cacique de su aldea, de ahí que la apodaran «el alcalde de Sheij el-Balad»

Página anterior: Una de las tríadas de estatuas encontradas en el complejo piramidal de Micerino, que se excavó en 1908. A la derecha de Micerino se encuentra la diosa Hathor, hija de Ra, considerada la madre divina del rey que gobierna y asociada con muchos de los placeres de la vida, incluidos la música y el sexo. A Hathor se la representó de muchas maneras, entre otras como aparece aquí: con peluca, astas de toro y el disco solar. A la izquierda de Micerino se encuentra la personificación de la decimoséptima provincia del Alto Egipto. El país estaba dividido en cuarenta y dos provincias o nomos –veintidós en el Alto Egipto y veinte en el Bajo Egipto–, cada una de ellas con su propio símbolo y su propio jerarca.

*Derecha: Relieve de la V Dinastía halla-
do en Saqqara, que muestra a dos mujeres cantando y tocando el arpa. Los
egipcios tenían una gran variedad de
instrumentos de viento, cuerda y percusión, y la música estaba muy arrai-
gada en su cultura. No se reservaba sólo
para las fiestas, sino que también el trabajo se hacía con un acompañamiento
rítmico. La música constituía igualmen-
te una parte esencial de las ceremonias
religiosas.*

*Abajo: Relieve del Imperio Antiguo que
representa cazadores en barcos de papiro con aves capturadas y flores de loto.
El papiro, que crecía en abundancia
alrededor del delta del Nilo, era un símbolo del Bajo Egipto, mientras que el loto
se asociaba con el Alto Egipto. A ambos
se les asignó un papel destacado en la
mitología de la creación del país.*

*Página siguiente: Panel de alabastro
decorado con una imagen en relieve del
oficial Rawer, de la V Dinastía; se descubrió en su tumba de Gizeh.*

Arriba y en la página siguiente arriba: Esbozos de la capilla inacabada de Neferherptah, de la V Dinastía, que muestran una captura de aves y a un jardinero cortando plantas.

Página siguiente: Relieve de la tumba del visir Ptahhotep, de la V Dinastía, en Saqqara. Un cazador regresa con una jaula de aves mientras otros dos enjaulan los ejemplares capturados previamente. El visir era el máximo administrador de Egipto, el factótum del rey que supervisaba todas las actividades gubernamentales. Informaba directamente al faraón de los problemas fiscales, legales y de defensa, y organizaba la mano de obra reclutada para trabajar en proyectos del Estado. El único aspecto importante donde el visir no desempeñaba las funciones del rey era en las ceremonias religiosas. Durante el Imperio Antiguo, a menudo se nombraba visir al hijo del soberano, pero esta práctica se abandonó posteriormente. A partir de la XVIII Dinastía se designaron dos visires con responsabilidades en los asuntos del Alto y el Bajo Egipto, respectivamente. Al parecer, el poder y el estatus del visir se redujo en los últimos siglos de la era faraónica.

Derecha: Pirámide del rey Neferirkare en Abusir, que fue la necrópolis principal para los reyes de la V Dinastía. El complejo sepulcral de Neferirkare, cuyo reinado se prolongó de 2475 a.C. a 2455 a.C., se supone que había de ser más grande que el de su predecesor, Sahure, pero quedó inacabado. No obstante, ha proporcionado una gran cantidad de papiro que representa el mejor testimonio documental del Imperio Antiguo. En esos escritos se da detalles sobre la administración del templo y la organización de los cultos funerarios, incluidas las tareas del personal y las ofrendas que debían hacerse. El hijo de Neferirkare, Niuserre, incorporó algún trabajo inacabado de la construcción deseada por su padre al diseño de su propio complejo piramidal.

Arriba: Esta cabeza, tallada en una roca compuesta de cuarzo y feldespato, no tiene inscripciones y se encontró cerca del templo del sol de Userkaf en Abusir, por lo que se cree que representa al fundador de la V Dinastía. La pirámide de Userkaf en Saqqara, y su decisión de construir aparte un templo del sol en las proximidades de Abusir, sentó un precedente que siguieron más tarde muchos de sus sucesores. Se sabe que se construyeron seis templos similares, pero hasta ahora sólo se han descubierto dos, los asociados a Userkaf y a Niuserre.

Página siguiente: Estatua de madera de un porteador procedente de la tumba de Nianjpepi, oficial superior del rey Pepi I, de la VI Dinastía, que ostentaba el título de «Supervisor del Alto Egipto, Canciller del rey del Bajo Egipto». La tumba de Nianjpepi es una de las más importantes de las que se descubrieron en Meir, en el Egipto Medio.

Izquierda: Una de las tres estatuas recuperadas de la tumba de Merye-haishtef, de la VI Dinastía. En 1920, un equipo liderado por Flinders Petrie las halló en Sedment. Muestra a Merye-haishtef como un joven caminante, mientras que otras figuras lo representan como un terrateniente anciano. La práctica de depositar en la tumba estatuas de madera del difunto representado a diferentes edades y en distintas posturas es típica del período tardío del Imperio Antiguo.

Página siguiente arriba: Relieve de una persona oliendo una flor de loto, de la mastaba de Mereruka en Saqqara. Mereruka fue visir durante el reinado de Teti, el soberano que fundó la VI Dinastía. Alcanzó este elevado cargo a través del matrimonio con la hija del rey, la princesa Watejathor. Su mastaba es la tumba no real de mayor tamaño del Imperio Antiguo. Contiene treinta y dos estancias decoradas con numerosas escenas que muestran a Mereruka y su mujer realizando sus tareas diarias, lo que constituye una de las mejores evidencias de cómo era la vida de los egipcios en el 2350 a.C.

Página siguiente abajo: Relieve de la tumba de Mereruka que representa a unos trabajadores del metal ocupados en la fabricación de joyería. Soplan cerbatanas en la forja para mantener su temperatura. La tumba muestra una gran variedad de artesanos en su trabajo, entre ellos albañiles, escultores y carpinteros.

Abajo: Escena de la mastaba de Kagemni, que fue visir al principio del reinado de Teti, faraón de la VI Dinastía. Los animales ocupan un lugar destacado y protagonizan numerosas escenas de caza y pesca con redes y arpones. El ganado se criaba para obtener carne y leche (como se ve aquí), y como animales de tiro. Otra escena de la tumba de Kagemni muestra a un porquero dando leche a un cerdito. Las imágenes de este tipo fueron poco corrientes desde que se relacionó a los cerdos con Seth, el dios del caos. Sin embargo, hay evidencias de crianza de cerdos en la era faraónica tardía.

Página siguiente arriba: Escena de la tumba de Iti en Gebelein, que representa el sacrificio de un buey. En este lugar, a unos 35 kilómetros al sur de Tebas, se encuentran tumbas datadas en el Primer Período Intermedio, aunque algunos estudiosos las sitúan en el Período Predinástico. La pierna de buey se empleaba a veces en el ritual de la abertura de la boca (ver página 144), posiblemente para traspasar al difunto la formidable fuerza del animal.

Página siguiente abajo: Dibujo de la tumba de Iti en el que un burro transporta canastas de cereal hasta el granero, donde los porteadores suben las cestas hasta el agujero de carga.

CAPÍTULO TERCERO

Poder y bienestar
hacia 2181–1550 a.C.

Entre el final del Imperio Antiguo y el comienzo de la siguiente gran época, el Imperio Medio, transcurrieron apenas 130 años, un lapso documentado por muy pocas fuentes históricas fiables. El desorden político y las disensiones internas trazan la imagen de este período y, al parecer, sacudieron el país hasta los cimientos.

Los reyes de la VIII Dinastía, que se consideraban los legítimos sucesores de los faraones del Imperio Antiguo, siguieron residiendo en Menfis, pero ya no ejercían su control sobre la totalidad del país.

La IX y X Dinastías comenzaron con un tal Jeti, uno de los dignatarios regionales que aspiraban a conseguir la independencia y que al final logró hacerse con la regencia. Pero los reyes de la nueva dinastía, originaria de Heracleópolis, toparon desde el principio con la oposición de los dignatarios locales, en especial con la de los príncipes tebanos, en el sur del país, que nunca reconocieron su soberanía. Se produjeron largos y enconados enfrentamientos entre las distintas facciones y alianzas cambiantes con otras regiones del país.

Con la ayuda de tropas mercenarias nubias los tebanos consiguieron someter finalmente la provincia de Assiut y su quinto rey, Mentuhotep II, logró expulsar del poder a los heracleopolitas y dominar todo el país. Hacia el año 2046 a.C. Mentuhotep II se convirtió en el primer faraón del Imperio Medio. Con él dio

comienzo una nueva era de esplendor en la historia de Egipto, que se prolongó 400 años.

Deir el-Bahari

Tebas se convirtió en la nueva capital de Egipto. Desde ella Mentuhotep II reinó 50 años. Fue una época de consolidación política y económica. Se eliminaron los residuos de resistencia interna y, mediante campañas militares en el extranjero, se aseguraron intereses estratégicos. Se logró establecer importantes relaciones comerciales y en todo el país se llevaron a cabo construcciones faraónicas. El arte y la literatura recibieron un gran impulso.

Mentuhotep eligió como recinto funerario real Deir el-Bahari, situado en la orilla occidental de Tebas, frente al actual Luxor. Su templo funerario consistía en una terraza escalonada de varias plantas apoyada sobre pilares. Encima se alzó probablemente una construcción semejante a la mastaba, que simbolizaba la idea de la colina primigenia, el lugar donde se originó el mundo según la mitología egipcia. Además de la tumba del rey, profundamente excavada en la roca, el recinto albergó las sepulturas de seis esposas y princesas, cuyos ataúdes de piedra estaban decorados con delicados relieves. En el año 1900 se descubrió una estatua sedente del faraón, identificado por el color negro de la piel con Osiris, el dios de los muertos.

Página anterior: Sarcófago interior antropomorfo de Sepi, general de la XII Dinastía. Lleva el tocado nemes y la barba postiza, dos insignias asociadas a la monarquía, lo que sugiere que Sepi fue un importante líder militar.

Amenemhet

A pesar de las medidas adoptadas para asegurar el dominio recobrado, el nieto de Mentuhotep II tuvo que luchar de nuevo contra las disensiones internas. En el sur del imperio algunos dignatarios se alzaron contra Mentuhotep IV disputándole la soberanía y proclamándose reyes. Al parecer, el faraón fue depuesto finalmente por su propio visir, Amenemhet; hoy en general se identifica al visir con Amenemhet I, el fundador de la XII Dinastía. Con toda probabilidad fue el nuevo faraón quien encargó la redacción de un escrito atribuido a un tal Neferti, de comienzos de la IV Dinastía. En él se profetiza el advenimiento de un salvador llamado Ameni, una abreviatura de Amenemhet, que habría de liberar el país del desorden y el caos; el texto pretendía, pues, legitimar el cambio en el poder. Amenemhet I trasladó la corte hacia el norte y fundó una nueva capital con el revelador nombre de Itj-taui, «Dominadora de ambos Reinos».

Para no correr la misma suerte que su predecesor, Amenemhet I reformó la administración y situó funcionarios fieles en los puestos clave. A fin de asegurar la sucesión en el trono, instauró la corregencia, y de este modo, en los últimos años de su reinado, su hijo, el futuro Sesostris I, gobernó conjuntamente con él. Sin embargo, Amenemhet pagó cara su usurpación del trono, pues algunas fuentes históricas hablan del asesinato del rey.

Amón-Ra

Durante el Imperio Antiguo, Ra fue la divinidad principal del panteón egipcio, sin embargo, los nuevos gobernantes del Imperio Medio encumbraron a su dios local, Amón. El nombre de Amenemhet, «Amón en la cúspide», ya lo revela con claridad. La nueva condición de divinidad imperial otorgada a Amón condujo a su fusión con Ra, el dios del sol, y ello atribuyó a Amón-Ra un poder y una veneración universales. A partir de entonces, su santuario tebano, situado en Karnak, fue el centro de culto más importante del país, y con el paso del tiempo, se amplió hasta convertirse en uno de los mayores templos del mundo.

Junto a Amón, que estaba muy unido al imperio, se popularizó mucho la fe en Osiris, el dios del más allá. Si bien en el Imperio Antiguo convertirse en un Osiris era un derecho exclusivo del faraón, durante el Imperio Medio pasó a ser una aspiración que podía alcanzar cada difunto. Abidos, el centro del culto a Osiris, experimentó en consecuencia un enorme florecimiento como lugar de peregrinaje.

Amenemhet I eligió para su inhumación el-Lisht, lugar cercano al nuevo emplazamiento de la corte. Él y su hijo Sesostris I se hicieron construir pirámides de acuerdo con la tradición del Imperio Antiguo, pero su altura de 60

Arriba: Relieve de la capilla Blanca del rey Sesostris I, de la XII Dinastía, construida para celebrar la fiesta del Sed, aniversario real que se conmemoraba con rituales de renovación y regeneración. Se supone que esta fiesta se celebraba al cabo de 30 años de gobierno ininterrumpido. Sin embargo, hay pruebas de que se llevó a cabo durante el reinado de faraones que permanecieron en el trono durante mucho menos tiempo.

metros apenas representaba la mitad de la de sus modelos de la meseta de Gizeh.

La XII Dinastía

El faraón Sesostris I prosiguió las reformas comenzadas durante el reinado de su padre y atenuó la influencia de los dignatarios, todavía poderosos. Su sucesor, Amenemhet II, siguió incrementando el poder central y amplió las relaciones comerciales de Egipto hasta el interior de África, Oriente Medio y el Mediterráneo septentrional. Lo demuestra el impresionante hallazgo, en 1936, de un depósito de valiosas vasijas de plata procedentes del Egeo y de cilindrosellos provenientes de Mesopotamia. Amenemhet II avanzó militarmente hasta Siria e hizo

15.000 prisioneros que trasladó a Egipto para trabajar en el amplio plan de obras del Estado.

Sesostris III

Tres reyes, Amenemhet II, Sesostris III y Amenemhet III, mandaron levantar sus pirámides en Dahshur. Sin embargo, el último dejó la obra inconclusa y comenzó una segunda pirámide con una base casi el doble de extensa en Hawara, junto a la depresión de El Fayum. La roturación y desarrollo de esta fértil región fue una de las grandes realizaciones de este rey. Según autores de la antigüedad, el templo funerario correspondiente a la pirámide de Hawara contenía más de 1.500 salas, y era tan gigantesco y desconcertante que posteriormente recibió el calificativo de «laberinto». Las pirámides de esta época se diferencian claramente de sus sólidas predecesoras del Imperio Antiguo por la ligereza de su construcción. El núcleo central de mampostería y cascotes se recubría con fina piedra caliza pulida. Después de que se

les robara su recubrimiento se desmoronaron hasta convertirse en montones informes.

Sesostris III fue uno de los soberanos más significativos del Imperio Medio. Ordenó excavar un canal en Elefantina, junto a la primera catarata, en el sur del país, para facilitar el paso por los rápidos; con su ejército, penetró profundamente en Nubia, el país del oro, y aseguró la nueva frontera de Egipto mediante la construcción de grandes fortalezas. Los dignatarios de las provincias fueron desposeídos de todo poder y la administración del país estuvo de nuevo exclusivamente en manos del rey y de sus funcionarios.

Abajo: Maqueta de un barco de la XII Dinastía. A partir del Imperio Medio se depositaron embarcaciones en las tumbas para facilitar al fallecido el viaje a Abidos, lugar de culto a Osiris. De acuerdo con el mito, el cuerpo de Osiris, desmembrado por su hermano Seth, recobró la vida mágicamente, y ello convirtió a Osiris en un dios asociado con la resurrección. Abidos fue un importante centro religioso hasta la época del dominio romano de Egipto, unos 2000 años después.

Izquierda: *Estatuilla de una sirvienta que transporta pan y carne. Durante el Imperio Antiguo, los sirvientes shabti eran por lo general figuras individuales; en cambio, a lo largo del Imperio Medio se generalizó la costumbre de colocar en las tumbas maquetas de grupos enteros de trabajadores ocupados en elaborar, cocinar y realizar otras tareas relacionadas con la producción de alimentos. En el Imperio Nuevo (1550 a.C.-1069 a.C.) el número de figuras shabti podía llegar a ser de 365, una para cada día del año. El término se deriva probablemente de «ushabti», que significa «el que responde», puesto que se esperaba que la estatuilla respondiera a la llamada al trabajo por parte del difunto. Las obligaciones de los shabti están recogidas en el capítulo sexto del Libro de los Muertos.*

Página siguiente: *Pez de colores usado como amuleto por las mujeres jóvenes para protegerse frente al peligro de ahogarse en el Nilo. Los egipcios no distinguían con claridad entre ciencia y magia. Se han descubierto cientos de amuletos diferentes, todos ellos con virtudes protectoras en el viaje a la vida de ultratumba. Había instrucciones específicas, descritas en el Libro de los Muertos, sobre cómo y dónde debían ponerse en contacto con el cuerpo del difunto estos amuletos.*

Los tres últimos monarcas de la XII Dinastía aprovecharon los logros de su predecesor, el faraón Sesostris III; el poder y la riqueza de Egipto no tuvieron parangón entre los pueblos de su tiempo. La XII Dinastía terminó con la primera faraona cuya existencia está probada históricamente: Sobeknofru, una hija de Amenemhet III, reinó durante cuatro años en el país de los faraones.

La XIII Dinastía

La XIII Dinastía comenzó hacia 1795 a.C. y se prolongó unos 150 años. Aunque en este tiempo se produjo una progresiva decadencia del poder central del rey, al parecer se mantuvo el orden. La rápida sucesión de 50 soberanos, con una permanencia media en el poder de tres años, indica la existencia de fuertes disputas por el trono.

Las primeras consecuencias de la incipiente caída fueron los problemas en las fronteras; se perdió el control sobre Nubia, y en el norte, una ola de colonos procedentes de Siria y Palestina se deslizó hasta el delta.

El Segundo Período Intermedio

Durante la última etapa de la XIII Dinastía comenzó en Egipto una época turbulenta de revoluciones y disturbios. En el delta oriental los poderosos dignatarios locales consiguieron sustraerse al dominio del gobierno central y controlar las rutas comerciales hacia Oriente Medio en calidad de reyes de la XIV Dinastía. Al mismo tiempo se concentraron en el delta grupos de población inmigrados de Siria y Palestina. Si bien al principio convivieron sin problemas con los egipcios, sus caudillos terminaron por autoproclamarse reyes (XV/XVI Dinastías). Presionados por la situación en el delta, los sucesores de la XIII Dinastía trasladaron su sede más al sur. El país de los faraones se fragmentó en pequeños territorios sometidos o bien a los nuevos soberanos, en el norte, o bajo el poder de los antiguos, en el sur.

En cualquier caso, la situación inicial de igualdad de intereses duró poco y los egipcios entraron en conflicto con unos extranjeros a los que se denomina hicsos por la similitud de esta palabra con la forma griega del término egipcio «haka-chasut», que significa «dominadores de países extranjeros».

Arriba: Estatuilla de madera de una mujer moliendo grano. Durante la época faraónica se consideraba muy importante para todas las clases sociales depositar una mesa de ofrendas en el lugar de enterramiento, pues era el lugar donde los sacerdotes o los familiares hacían ofrendas para mantener el ka del difunto. Durante el Imperio Medio comenzó a ser una práctica habitual entre las clases más pobres incluir en las tumbas maquetas de cerámica de sus casas. La comida se situaba en el patio de estas casas espirituales, que eran una versión más elaborada de las simples mesas de ofrendas. Combinaban así la idea de la necesidad de alimentar el alma después de la muerte y el hecho de que la tumba fuera la casa espiritual del difunto.

Página siguiente: En esta escultura de madera y yeso del 2040 a.C., un cocinero atiza el fuego y se prepara para asar el pato que tiene en su mano izquierda. La colocación de estatuillas en las tumbas se remonta a la I Dinastía, pero las piezas del Imperio Medio son mucho más elaboradas. Las estatuillas eran simplemente una prolongación de las imágenes en dos dimensiones. Se creía que ambas podían desempeñar el papel que ilustraban. Los antiguos egipcios pensaban que la imágenes pintadas podían tener una función simbólica, mientras que las miniaturas se animarían por arte de magia y pasarían a ser de tamaño natural para atender las necesidades de su amo en la vida de ultratumba.

Página anterior: Sirvienta portando ofrendas para Meketre, noble de la XI Dinastía. La suya fue una de las tumbas privadas más importantes de las que se descubrieron en Deir el-Bahari. Contiene numerosas estatuillas funerarias maravillosamente realizadas. Dichas figuras llevan a cabo diversas tareas relacionadas con la producción de alimentos, el tejido o la carpintería.

Arriba: Maqueta de madera de la tumba de Meketre que muestra al noble inspeccionando y contando sus rebaños de ganado.

Derecha: Maqueta de un sicómoro procedente de la tumba de Meketre. Además de las maquetas de comida y de sirvientes, en las tumbas se incluían otras imágenes destinadas a proporcionar entretenimiento y relajación. Las estatuillas de músicos y enanos, mascotas y concubinas pertenecen a esta categoría.

Arriba: Maqueta de madera en la que aparecen carpinteros trabajando. Se encontró en la tumba de Meketre en Deir el-Bahari.

Derecha: Estatuilla de madera del Imperio Medio que representa a una figura demacrada sosteniendo un bol. Incluso los más pobres tenían expectativas de cara a la vida de ultratumba. Mientras que los reyes estaban llamados a ocupar su lugar entre los dioses y los ricos a disfrutar de los lujos con los que habían sido enterrados –tanto de los reales como de su representación en imágenes–, los pobres esperaban trabajar la tierra en el reino de Osiris. Si bien esto suponía un trabajo extenuante, el Inframundo era una tierra de plenitud donde la satisfacción estaba asegurada.

Página siguiente arriba: Esta figura sabhti junto a un ataúd en miniatura constituye uno de los primeros ejemplares de su género. Se descubrió en la tumba del príncipe Wahneferhotep, de la XIII Dinastía.

La edad de oro de la literatura

Lamentablemente, se conservan muy pocos testimonios literarios del Imperio Antiguo, entre ellos los Textos de las Pirámides, que constituyen las obras maestras más antiguas de la poesía religiosa. Son más numerosos los textos que nos ha legado el Imperio Medio, que representan los primeros ejemplos de géneros literarios como la elegía y los proverbios, y los escritos de poetas que lamentan las desgracias de tiempos pasados o de educadores que dan instrucciones sobre el correcto proceder.

Incluso Amenemhet I aparece póstumamente en estos escritos, cuando en las «Enseñanzas de Amenemhet» da diferentes consejos a su hijo sobre gestión y le exhorta a no confiar ciegamente en nadie para evitar ser objeto de un atentado, tal como le sucedió a su padre.

Hasta nuestros días, la historia de Sinuhé se considera sin lugar a dudas la obra clásica de la literatura egipcia. El héroe de la narración es Sinuhé, que descubre por casualidad el asesinato del faraón Amenemhet I y emprende la huida ante el temor de ser acusado de coautor del magnicidio. Al final, la nostalgia y la añoranza lo hacen regresar a Egipto desde el exilio, donde ha hecho carrera gracias a su valentía y habilidad. Sesostris I, que entre tanto ha llegado al trono, reconoce la inocencia de Sinuhé, le colma de honores y le otorga después de su muerte una fastuosa inhumación.

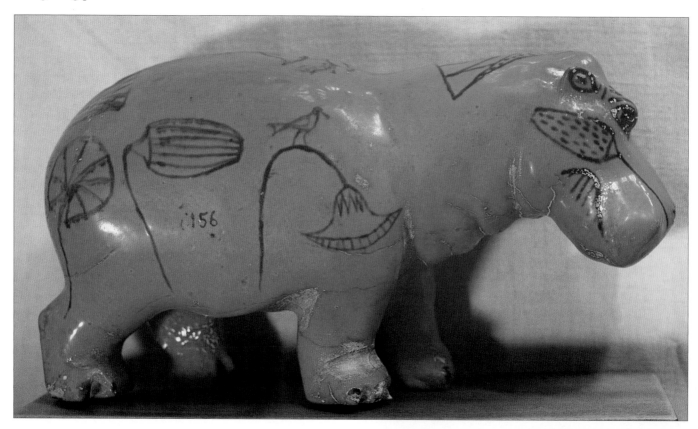

Arriba: Estatuilla del Imperio Medio de un hipopótamo hecho de loza azul y decorado con imágenes de papiros y de otras plantas acuáticas. El hipopótamo macho y el cocodrilo se consideraban una amenaza tanto para las personas como para las cosechas y, por tanto, un espíritu del mal. La caza del hipopótamo data del Período Predinástico. Los reyes solían participar en ella con frecuencia, de manera que dichas cacerías adquirían un significado ritual: el golpe de gracia simbolizaba la matanza de Seth por parte de Horus y, por tanto, la victoria del bien sobre el mal. Por el contrario, las hembras de la especie eran figuras benévolas. Tawaret, la diosa asociada con la protección de las mujeres en la infancia, se representaba bajo el aspecto de un hipopótamo y con esa imagen aparecía dibujada con frecuencia en camas y en amuletos. Durante el Imperio Medio las estatuillas de hipopótamos, decoradas normalmente con imágenes de vegetación, se incluían con regularidad en los ajuares funerarios, probablemente por su asociación con la fuerza y la regeneración.

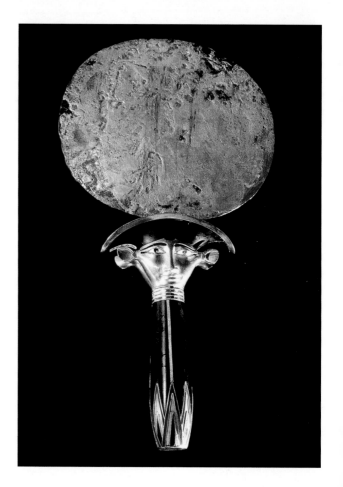

Derecha: Este exquisito espejo de plata tiene un mango de obsidiana con forma de papiro que representa la cabeza de Hathor, la diosa asociada al sexo. Perteneció a la princesa Sithathoriunet, hija del faraón Sesostris II, del Imperio Medio, cuya tumba excavó Flinders Petrie en 1914. El hecho de que el nombre de la princesa incluyera el de Hathor debía garantizar su belleza juvenil tanto en el mundo mortal como en el más allá.

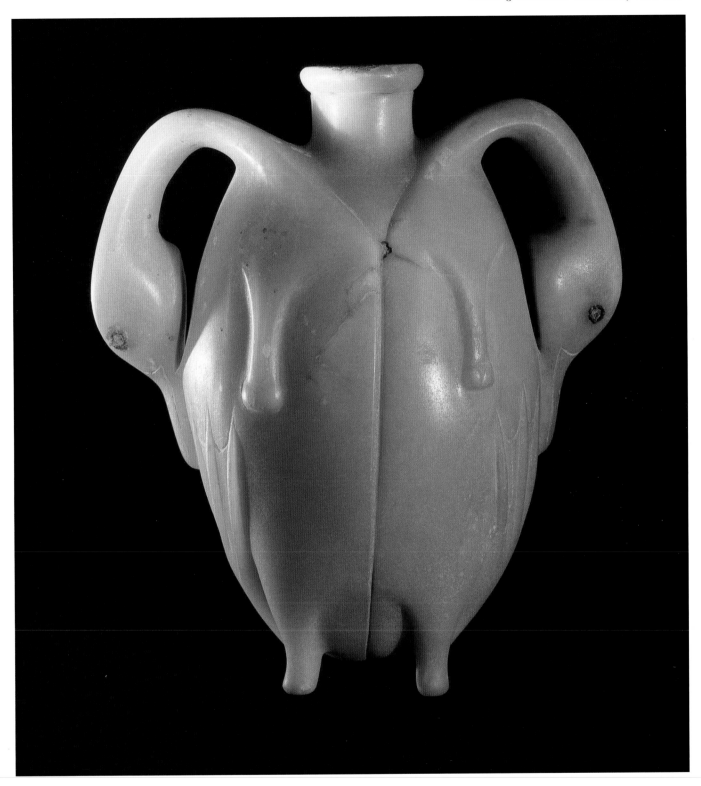

Arriba: Jarra de ungüento de mármol azul con forma de dos patos preparados para el sacrificio. La medicina egipcia era una combinación de prescripciones basadas en el conocimiento del cuerpo humano, de rituales y de magia. Numerosos papiros describen remedios para sobrevivir a diversas amenazas y enfermedades. Los doctores sabían colocar huesos rotos, cauterizar heridas y realizar suturas con hilo mediante agujas hechas de hueso. La miel se usaba como desinfectante mientras que el jugo de cebolla se empleaba por sus propiedades antibióticas. Los excrementos de diferentes criaturas formaban parte de algunos remedios. Existía la creencia de que los residuos del cuerpo eran causa común de dolencia y debían ser tratados con remedios parecidos. El uso de amuletos, encantamientos y hechizos se consideraba una parte esencial del proceso de curación.

Izquierda: Escarabajo con cara humana, el más importante de los amuletos usados en los rituales de enterramiento. En el proceso de momificación estos escarabajos se situaban entre las vendas sobre el corazón del difunto, junto con una inscripción que exhortaba a ese órgano para que no revelara ninguna fechoría cuando fuera pesado durante la ceremonia de juicio ante Osiris.

Abajo: Cofre de ungüento que contiene jarras de alabastro y un espejo. El panel frontal de marfil muestra al interesado, un siervo del rey en la casa real, ofreciendo jarras de ungüento a la estatua deificada de su amo.

Página siguiente: Recipiente para aceite perfumado en forma de gato. Este animal era admirado por su habilidad para luchar contra las serpientes, pero hasta el Imperio Nuevo no alcanzó la categoría de mascota. El gato era un símbolo de la diosa Bastet, cuyo nombre se deriva de «bas», jarra de ungüento, por lo que esta divinidad se asociaba con la efectividad y la curación. En el Período Tardío se representó a menudo a Bastet con gatitos para reflejar una cualidad protectora. A los gatos se les practicaban rituales funerarios, incluida la momificación. En Bubastis, centro de culto de Bastet en el delta, se descubrieron numerosas tumbas de gatos.

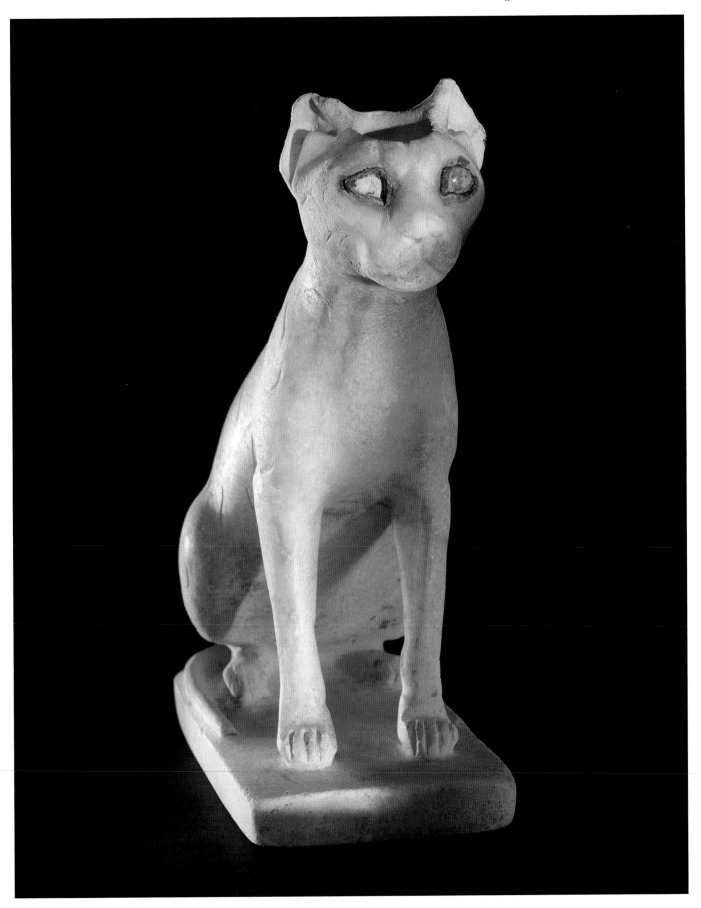

Arriba: *Fragmento de un relieve pintado de la pared sur del templo funerario de Mentuhotep II, que representa a un chacal atacando un nido de pájaros. El chacal era un animal carroñero común. Se piensa que a Anubis, el dios del embalsamamiento y la momificación, se le representaba con cabeza de chacal para evitar que estas temibles criaturas poseyeran los cadáveres.*

Derecha: *Detalle de una lista de reyes del Imperio Medio con la representación de una abeja, símbolo del norte de Egipto. Es habitual que aparezcan listas de reyes en los templos funerarios de los faraones para que el soberano difunto reclame su puesto en el linaje real. Se hacían ofrendas tanto a los reyes anteriores como al último monarca fallecido.*

Página anterior: *Fragmento de la pared del templo de Mentuhotep II.*

Arriba: Relieve de la capilla Blanca de Sesostris I en Karnak, construida para celebrar la fiesta del Sed. El rey (derecha) rinde homenaje a Min, dios de la fertilidad. Min está representado en su postura típica, con el falo erecto, la mano derecha en disposición de golpear, y un tocado de dos plumas. La fiesta del Sed se relacionaba con la regeneración, así Min era una figura que reafirmaba la potencia del rey.

Página siguiente: Estatua del Imperio Medio que se cree representa a Amenemhet III, sexto rey de la XII Dinastía. Gracias al legado de su predecesor Sesostris III, Amenemhet gobernó un país que era económica y militarmente fuerte. Construyó dos pirámides, una en Dahshur –que no contiene inscripciones– y la otra en Hawara, en la región de El Faiyum, probablemente su lugar de enterramiento.

Página anterior: Busto de bronce del Imperio Medio. Se cree que representa a Amenemhet IV, el último soberano varón de la XII Dinastía. Su reinado y el de su sucesora, la reina Sobeknofru, preludiaron la llegada de un nuevo período de decadencia. Se instauró la inestabilidad política, con numerosos reinados breves de dinastías enfrentadas. Además de los conflictos internos, Egipto tuvo que afrontar el problema de la infiltración a través de sus fronteras, ya que hubo extranjeros que intentaron aprovecharse de la debilidad del país.

Derecha: Exterior del sarcófago de Sepi, general del Imperio Medio. En esta época los sarcófagos rectangulares estaban orientados según un plano norte-sur, con el cuerpo del difunto situado en su lado izquierdo y mirando al este. En el flanco oriental del sarcófago se pintaban los ojos con el fin de que el difunto pudiera ver la salida del sol y las imágenes de sustento. Las inscripciones con hechizos estaban destinadas a asegurar un tránsito seguro a la otra vida. Los Textos de los Sarcófagos constituían una evolución de los Textos de las Pirámides del Imperio Antiguo y ya no eran del dominio exclusivo de la realeza. A la decoración de los sarcófagos se incorporó también una puerta falsa, a través de la cual podía pasar el espíritu.

CAPITULO CUARTO

La edad de oro de Egipto hacia 1550–1069 a.C.

Con el inicio, hacia 1550, de la XVIII Dinastía, el país del Nilo experimentó un ascenso muy rápido. Comenzaba la edad de oro de Egipto. Los grandes faraones cubrieron el país de templos enormes y se hicieron construir espléndidas tumbas en el Valle de los Reyes. Esta época, la más brillante del Antiguo Egipto, se prolongó unos 500 años, antes de que el imperio del Nilo sufriera finalmente crisis económicas y agitaciones sociales.

Los soberanos extranjeros

Desde el año 1650 a.C., aproximadamente, los caudillos de los grupos de población procedentes de Siria y Palestina, los llamados hicsos, dominaban el norte del país. Hacía algún tiempo que se habían asentado en el lado oriental del delta inmigrantes originarios de Oriente Medio, que en muchos aspectos se habían asimilado a los egipcios pero que en otros, por ejemplo en los sepelios, conservaban los usos y costumbres propios de su patria.

A raíz del desmoronamiento del Estado faraónico al final de la XIII Dinastía, los dirigentes locales de los hicsos aumentaron su poder y finalmente se entronizaron como reyes. Utilizaron su coronación en la capital, Menfis, a modo de legitimación formal, pero según los hallazgos arqueológicos, establecieron su propia corte en Avaris, cerca de la actual Tell el-Daba, en el lado oriental del delta. Desde allí ejercieron su dominio basado en la dependencia de vasallos y nobles.

A la luz de las últimas investigaciones, la llegada al poder de los hicsos aparece como un proceso largo, y no como la invasión única descrita por el historiador del siglo III a.C. Manetho, quien atribuye la conquista a Salitis, el fundador de la XV Dinastía.

Los nuevos soberanos supieron emplear con acierto tanto las alianzas políticas como su poderío militar. Trajeron de su patria en Oriente Medio nuevas técnicas armamentísticas muy efectivas, en especial el carro de guerra. El caballo y el carro militar eran desconocidos en el Egipto de la época y las veloces tropas de los hicsos tenían una gran ventaja sobre la lenta infantería egipcia. Tras las dificultades iniciales, también los egipcios consiguieron dominar las nuevas armas y, apenas un siglo después, el frágil equilibrio entre los soberanos extranjeros del norte y los príncipes autóctonos del sur se desestabilizó.

Hacia 1570 a.C., el príncipe tebano Seqenenre, que fue el primero en buscar la confrontación abierta con el soberano hicso Apofis, pereció en el campo de batalla, tal como lo demuestran las heridas mortales en la cabeza de su momia. Su hijo Kamose prosiguió la lucha. El intento de los hicsos de establecer una alianza con el reino nubio de Kerma y forzar a los tebanos a sostener una guerra con dos frentes fracasó porque los miembros de su embajada secreta fueron capturados. Finalmente, el hermano y sucesor de Kamose, Amosis, logró ocupar Avaris hacia 1550. El poder de los extranjeros tocaba así a su fin. Egipto estaba unido de nuevo bajo la autoridad de un faraón autóctono.

Página anterior: Pared pintada de la tumba de Pere, de la XVIII Dinastía, que representa al dueño y a su esposa ante un altar cargado de ofrendas. Durante este período, las flores constituyeron un elemento importante en las escenas festivas de las paredes de las sepulturas no reales. Aparecen en forma de guir-nalda como adorno decorativo y también sujetándolas cerca de la nariz. El amor de los egipcios por las flores perfumadas y por todos los olores placenteros se puede deducir del hecho de que la nariz fuera el signo jeroglífico utilizado para el verbo «disfrutar».

Arriba: La villa de Deir el-Medina, situada en la orilla oeste de Tebas, se construyó durante la XVIII Dinastía para alojar a los obreros que construían el Valle de los Reyes. Declinó al final de la XX Dinastía, cuando Tanis se convirtió en la necrópolis de la nueva realeza.

Los tutmósidas

Después de lograr la expulsión de los hicsos, Amosis y sus sucesores inmediatos se centraron en la reorganización del Estado y en asegurar las fronteras. Con este fin se amplió notablemente el ejército.

La nueva fuerza adquirida por Egipto permitió al tercer rey de la XVIII Dinastía, Tutmosis I, desarrollar una activa política exterior: en el sur se reprimió una rebelión de los príncipes nubios, y en el nordeste se desplegó una campaña militar hasta Siria. En el interior, Tutmosis I prosiguió las actividades arquitectónicas de sus antecesores y fue el primer faraón que se hizo construir una tumba en el Valle de los Reyes, en la orilla oeste del Nilo, justo enfrente del nuevo centro de poder, Tebas.

Tebas, la patria del dios Amón, se había convertido en el ombligo del mundo, donde confluían todos los brazos del poder político y religioso. En el Impe-

Arriba: Dibujo de una danzarina acrobática, pintada en un fragmento de caliza denominado ostracon. Estos fragmentos se utilizaban con frecuencia como bocetos preliminares porque constituían una alternativa barata al papiro.

rio Medio ya era el dios protector de la casa reinante pero ahora, fundido con el dios del Sol, Amón-Ra, reunía todos los atributos de dios universal de la creación y era el todopoderoso «rey de los dioses». El gran templo de Karnak erigido en su honor fue ampliado de continuo por los faraones del Imperio Nuevo y se adornó con derroche de lujo. Las generosas donaciones de tierras y bienes por parte de los reyes aumentaron el bienestar y el poder de los sacerdotes, de modo que se convirtieron paulatinamente en la clase más influyente del país.

Esta posición de poder no tardó en afectar a la línea sucesoria al trono. Tras la muerte de Tutmosis I ascendió al trono su hijo Tutmosis II. Por motivos dinásticos se casó con su hermanastra Hatshepsut, que poco después trajo al mundo a la princesa Neferure. Al morir Tutmosis II en plena juventud, su único hijo, nacido de la unión con una esposa secundaria, se convirtió en príncipe heredero, el futuro Tutmosis III.

Al principio, Hatshepsut asumió la regencia en nombre de su hijastro menor de edad y dirigió los asuntos de gobierno, pero poco después reclamó el poder para sí

misma, y gracias al apoyo de los influyentes sacerdotes de Amón, se hizo coronar faraón. La ambiciosa reina aseguró que era fruto de la relación de su madre con el dios Amón, y por lo tanto, hija corpórea del dios. De este modo transformó y actualizó el atributo real de «Hijo de Ra» en el de «Hija de Amón». A partir de este momento las imágenes oficiales la representan no sólo con los atributos propios de un faraón sino incluso con la barba ceremonial. Era una manera de expresar que había asumido en plenitud el papel masculino del rey como encarnación terrenal de Horus. Tutmosis III actuó durante este período como corregente y aparece junto a ella en monumentos oficiales.

Entre los acontecimientos más significativos del reinado de Hatshepsut figuran la erección en Karnak de los gigantescos obeliscos en honor de Amón y una expedición naval al Punt, el país del oro y del incienso. Hatshepsut murió en el año 22 de su correinado con su hijastro. Algunos años después, por motivos religiosos y políticos, Tutmosis III hizo borrar su recuerdo destruyendo su efigie y tachando su nombre.

El nuevo culto al sol

Tutmosis III demostró un talento extraordinario como jefe militar en las distintas campañas que emprendió en los países de Oriente Medio. Tras siete meses de asedio, venció a una coalición de reyes asiáticos que se había rebelado y había buscado refugio en la ciudad fortificada de Meggido. Cuando subió al trono Amenofis III, bisnieto de Tutmosis III, hacia el año 1390 a.C., el imperio de los faraones se hallaba en el punto culminante de su poder.

A la corte llegaban dignatarios de todos los países, y los emisarios y embajadores reales viajaban hasta los rincones más apartados del Imperio. En el ámbito de la ciencia y de la técnica se lograron grandes avances, y en general, se estaba abierto a las novedades y a los extranjeros.

Esta actitud se hizo extensiva al discurso teológico, sobre todo en lo referente al papel del rey. Hacía ya tiempo que había aumentado en la corte la importancia del dios Atón, la forma en que el dios del Sol se hacía visible en el firmamento como fuente de luz. La creciente influencia del culto al sol comportó, sin embargo, que desapareciera la influencia de los sacerdotes de Amón. Ya antes, Amenofis III había impuesto su voluntad al elevar a Tet, que provenía de la clase «burguesa», al rango de primera esposa, limitando con ello la influencia de determinados círculos. Probablemente la afinidad del rey con el nuevo culto al sol, a Atón, no entusiasmó a los sacerdotes de Amón a pesar de que su dios se mantenía sin discusión a la cabeza de las divinidades. Pero la situación cambió radicalmente con el hijo y sucesor de Amenofis III; bajo Amenofis IV se produjo una abierta ruptura oficial con el dios Amón.

Por primera vez en su historia, Egipto vivió un ataque real a un dios: cesó el culto en el templo de Karnak, el nombre del dios Amón-Ra se borró de las inscripciones y el nuevo rey quiso incluso que desapareciera el nombre de su padre porque contenía la palabra Amón. La forma actual del nombre Amenofis es la transcripción griega del egipcio Imen-hetep, «Amón está Satisfecho», y por ello, Amenofis IV cambió su nombre por el de Ajenatón, «Resplandor de Atón».

Ajenatón

En el quinto año de su reinado Ajenatón abandonó Tebas y fundó a unos 300 kilómetros al norte, cerca de la actual Tell el-Amarna, la nueva capital, llamada Ajetatón, es decir «Horizonte de Atón». En un tiempo mínimo, miles de obreros hicieron surgir de la nada gigantescos templos, palacios y barrios residenciales enteros; en algún momento llegaron a vivir allí más de 50.000 personas. La ciudad estaba situada en la orilla oriental del Nilo, el lado por donde sale el sol. En ella, Ajenatón hizo construir su tumba real, rompiendo así la tradicional orientación hacia

Izquierda: Detalle de una pared pintada de la tumba de Userhat, en Tebas. Muestra ofrendas de alimentos proporcionados por Hathor, bajo su aspecto de diosa árbol.

Página contigua: Relieve de la XVIII Dinastía que representa a un esclavo nubio, seguramente un prisionero de guerra. La esclavitud fue rara durante el Período Dinástico. La clase campesina permanecía ligada a la tierra, trabajando para la corona, el templo, o las fincas de los nobles, pero se trataba más bien de una situación de servidumbre que de esclavitud. Todas las clases sociales tenían derechos legales. Todos servían al faraón, la encarnación del Estado, quien a cambio garantizaba que Egipto fuera un lugar armonioso y ubérrimo.

Página siguiente: Busto del faraón de la XIX Dinastía Merneptah, de su templo funerario en Tebas. Fue el tercer hijo de Ramsés II, quien reinó durante 67 años y sobrevivió a muchos de sus vástagos.

el oeste, hacia el emplazamiento del más allá. De hecho, cambió este simbolismo por el del lugar por donde sale el sol, aquel por donde aparecía su nuevo dios. Ajenatón era el único que conocía a su padre Atón, el dios del Sol, y el único intermediario entre el mundo y su dios. Contaba con el apoyo de su famosa esposa Nefertiti, con quien asumió la función de las tradicionales parejas de dioses.

El rey Ajenatón no era en modo alguno un soñador religioso; perspicaz en la política del poder, supo imponer sus visiones frente a toda oposición.

También el arte estaba por completo al servicio de la nueva religión. Las imágenes de la época tienen un estilo propio, inconfundible. El dios Atón adopta la forma del disco solar, que aparece en el cielo y con sus rayos proyecta vida y poder sobre la pareja real. Sin embargo, este poder tuvo un precio. Las radicales innovaciones religiosas, la eliminación de Amón, la divinización de la pareja real: todo ello debió de resultarles muy extraño a los egipcios.

Ajenatón se mantuvo en el poder casi 18 años. En este lapso Nefertiti trajo al mundo seis hijas. El modo en que se produjo la muerte del faraón y el fin de la época de Amarna no están claros y aún hoy son objeto de controversia. Le sucedió por breve tiempo un soberano llamado Smenjkare, tal vez un yerno de Ajenatón o quizás un hijo fruto de la relación con alguna otra esposa.

Después de Smenjkare subió al trono Tutankatón, llamado posteriormente Tutankamón. El príncipe real, que en ese momento contaba probablemente tan sólo nueve años de edad y estaba casado con una hija de Ajenatón, habría de abandonar Ajetatón, la nueva capital, para regresar con la corte a Menfis, devolver a los dioses a su anterior situación y cambiar su nombre por el de Tutankamón, «Imagen Viviente de Amón».

El mismo rigor con que actuó Ajenatón fue, en consonancia, el que se aplicó a su persecución. Su nombre fue borrado, sus imágenes y efigies destruidas y su ciudad, Ajetatón, condenada a convertirse en ruinas.

intacta durante milenios, hasta que en 1922 la descubrió Howard Carter, con lo que el joven rey, poco conocido hasta entonces, cobró de golpe fama universal.

Tutankamón no dejó ningún heredero directo al trono, y de ahí que algunos investigadores supongan que su viuda, Anjesenamón, participó en el llamado «caso Dajamunzu». Según fuentes cuneiformes, una reina egipcia viuda pidió al rey de los hititas que le enviara a uno de sus hijos, porque no deseaba casarse con ningún subordinado. Sin embargo, de camino a Egipto el príncipe hitita perdió la vida y el plan fracasó. Sigue sin aclararse si la autora de la carta fue realmente Anjesenamón, pero lo que sí se sabe es que se casó con Ay, un dignatario de mucha más edad.

Poco después, a la muerte de Anjesenamón, subió al trono un hombre que en tiempos de Tutankamón ya había ostentado el poder: Horemheb, el general en jefe del ejército. El nuevo soberano recuperó la estabilidad en política interior y exterior y se esforzó en lograr la desaparición de toda huella de la época de Amarna.

Tutankamón

Tutankamón apenas había llegado a la edad adulta cuando sufrió una muerte repentina y fue sepultado en el Valle de los Reyes. Su tumba permaneció allí milagrosamente

La XIX Dinastía

A la muerte de Horemheb terminó también la XVIII Dinastía. Su sucesor fue Ramsés I, por entonces ya entrado en años. Era un antiguo oficial del rey que había ascendido a visir. Fue el fundador de la XIX Dinastía y falleció apenas un año después de ocupar el trono. Le sucedió su hijo, Seti I.

El nuevo rey, que llevó a cabo con éxito campañas contra los hititas y los libios, destacó por sus imponentes construcciones, entre ellas el templo de Abidos, en el que causan especial impacto los finos relieves pintados. Seti I reconoció la recobrada primacía de Amón y la expresó mediante la construcción en Karnak de una gran sala hipóstila, cuyas 134 enormes columnas parecen una espesura de papiros.

La culminación de esta gigantesca sala de columnas se produjo durante el reinado de su hijo Ramsés II, el faraón más célebre de la historia. En el transcurso de los 67 años de su gobierno cubrió todo el país de grandiosas construcciones. Entre las más conocidas figuran el templo funerario de la orilla oeste del Nilo, en Tebas, llamado Ramesseum, y el incomparable templo de Abu Simbel, en la frontera con Nubia. Cuatro colosales figuras sedentes de 22 metros de altura presiden la entrada. Desde ella, un sistema de salas excavadas se adentra 63 metros en la roca y está dispuesto de tal modo que dos veces al año, el 22 de febrero y el 22 de octubre, los rayos del sol naciente penetran hasta el santuario del fondo. Allí iluminan un grupo de estatuas en el que aparece el rey junto a los dioses del Imperio, Amón-Ra, Ra-Harajte y Ptah.

Ramsés II se trasladó a Pi-Ramsés, la nueva capital fundada por su padre en el delta oriental, cerca de la actual Qantir. Desde allí partió a la batalla de Kadesh, en la que cayó en una emboscada de los hititas y se libró por muy poco de sufrir una desastrosa derrota. A pesar de ello, a su regreso a Egipto se hizo proclamar vencedor y años después firmó un tratado de paz con sus antiguos enemigos al que siguieron dos bodas de Estado con princesas hititas.

Según fuentes históricas, Ramsés II fue padre de más de 100 hijos. Dada su propia longevidad, le sucedió en el trono su decimotercer hijo, Merneptah, quien en ese momento era ya un hombre maduro de unos sesenta años. Entre los sucesos más significativos de su reinado destaca la defensa frente a los «pueblos del mar», que atacaban y saqueaban las costas como piratas. Provenían de la zona nororiental del Mediterráneo y habían atacado el delta conjuntamente con los libios. En una inscripción en Karnak, Merneptah proclamó haber matado o apresado 9.376 enemigos. Los últimos cuatro soberanos de la XIX Dinastía reinaron en total apenas veinte años, un lapso en el que se sucedieron las intrigas y las conspiraciones palaciegas y que finalizó con el breve reinado de la reina Tausret.

La XX Dinastía

La situación en la corte no se tranquilizó hasta el reinado de Ramsés III, segundo faraón de la XX Dinastía y sucesor de Setnajt. Durante los treinta años de gobierno de Ramsés III el Imperio Nuevo vivió un último renacimiento. El mayor logro del monarca consistió en rechazar de nuevo a los pueblos del mar y a los libios que seguían amenazando peligrosamente las costas de todo el Mediterráneo oriental. Ramsés III hizo inmortalizar la batalla decisiva en los monumentales relieves de su templo funerario de Medinet Habu.

En los siguientes veinte años de su reinado la actividad constructiva fue intensa, y entre otras obras destaca la tumba del faraón en el Valle de los Reyes, profusamente decorada con pinturas. Sus últimos años en el poder se vieron ensombrecidos por crisis económicas –en Deir el-Medina se produjo la primera huelga de la que da testimonio la historia entre los trabajadores de la tumba del rey– y también por un atentado del que fue víctima el soberano y al que no fue ajena una de sus esposas. Los conjurados fueron capturados finalmente, pero al parecer el golpe acabó con la vida de Ramsés III.

Los siguientes ocho reyes de la XX Dinastía residieron en Pi-Ramsés, la capital del delta, llevaron el nombre de Ramsés y la mayoría de ellos no llegó a reinar más de diez años. Las tensiones sociales, la corrupción y las malas cosechas aceleraron la decadencia del Imperio; incluso se profanaron y saquearon las tumbas de algunos faraones. Durante el reinado de Ramsés XI estalló una guerra civil en el Alto Egipto, en la que se enfrentaron el virrey de Kush, Panehsi, y el sumo sacerdote de Amón, Pianj. Las hostilidades se extendieron hasta el norte. Después de la retirada de Panehesi, el conflicto prosiguió. En el decimonoveno año de su gobierno Ramsés XI intentó un nuevo comienzo simbólico proclamando el año 1 de una era de «repetición de la creación», pero no consiguió frenar la decadencia del Imperio.

Después de la muerte de Ramsés XI, Herihor, el sumo sacerdote de Amón, se apoderó del poder en el sur y se hizo proclamar rey; mientras tanto, el norte permaneció bajo el control de un alto funcionario llamado Smendes, el fundador de la XXI Dinastía. El país estaba de facto dividido en dos bloques de poder; en el sur, Nubia se independizó y se perdió el dominio sobre Oriente Medio.

Arriba: Puerta de acceso al templo de Luxor, flanqueada por estatuas sedentes de Ramsés II. Está situada a poca distancia hacia el sur del extenso complejo del templo de Karnak, al que conduce una avenida de esfinges. Éste fue el centro religioso más sagrado de Egipto. Los dos templos estaban dedicados a Amón, que fue la principal deidad egipcia en varios períodos históricos.

Los templos egipcios

Los templos de Egipto eran las residencias de los dioses, cuyas imágenes eran veneradas allí por el rey o por sus representantes, los sacerdotes. Cada día se celebraban ritos como la limpieza de las estatuas a las que se rendía culto o la ofrenda de alimentos y bebidas, dado que los dioses necesitaban de atenciones materiales. Para la conservación del mundo y del orden divino, de Maat, el favor y la protección de los dioses tenían una importancia fundamental. Sólo el rey y los grandes sacerdotes podían acceder al sancta sanctorum, situado en lo más profundo del templo; el pueblo veneraba a los dioses desde el exterior. Tan sólo en determinadas festividades se permitía el acceso al primer patio o la imagen abandonaba su enclave sagrado para visitar a otra divinidad en su templo, a donde era llevada en procesión en medio del júbilo de la multitud.

Los santuarios más antiguos, del Período Predinástico, estaban construidos con madera y esteras. Poste-

riormente se sustituyeron por construcciones de adobe, que se mantuvieron en parte durante el Imperio
Antiguo, la época de florecimiento de la construcción
de las pirámides. Pero para rendir culto al rey –que en
su condición de hijo de Horus, el dios del Sol, era considerado el garante terrenal del bienestar y la prosperidad del país– se erigieron santuarios de piedra. Partiendo de lo que en principio eran modestos lugares de
sacrificio junto al lado oriental de las pirámides, se
construyeron los enormes templos de las pirámides,
en los que la sucesión de imágenes y estatuas tenía
por tema la investidura, el mantenimiento y también
la persistencia del poder del rey. En los inicios del
Imperio Medio se produjo un verdadero boom en la

construcción de templos. En muchos de los centros de
culto más importantes de Egipto se renovaron o levantaron templos dedicados a los dioses con un tipo de
arquitectura que mezclaba el adobe y la piedra. Casi
todos estos templos fueron sustituidos durante el
Imperio Nuevo por construcciones de piedra más
modernas. Estos recintos contaban con un patio, diversas salas dispuestas una a continuación de otra, alma-
cenes y el santuario propiamente dicho.

Cuando los reyes del Imperio Nuevo empezaron a
construirse sus tumbas en el Valle de los Reyes, surgieron en la franja de tierra fértil las llamadas «casas de
millones de años», que sustituyeron a los templos de las
pirámides del Imperio Antiguo y del Imperio Medio.

Arriba: Vista aérea del templo de Amón, con el templo de Montu y la actual ciudad de Karnak a la derecha. Amón y Montu eran divinidades protectoras de Tebas. Montu, el dios de la guerra con cabeza de halcón, fue muy importante durante la XI Dinastía, cuando cuatro reyes adoptaron como nombre de nacimiento el de Mentuhotep («Montu está contento»). En lo sucesivo, Amón asumiría el papel de principal deidad tebana y se convertiría también en el dios preeminente del panteón egipcio. Ambos fueron presentados eventualmente como el dios del Sol, convirtiéndose en Amón-Ra y Montu-Ra respectivamente.

Página siguiente: Obelisco de Karnak dedicado a Tutmosis I, faraón de la XVIII Dinastía. Aunque su reinado fue relativamente breve, alrededor de doce años, Tutmosis I desarrolló una política exterior agresiva, que llevó el ámbito de influencia de Egipto más lejos que nunca. En las paredes de los templos se grabaron relatos de grandes victorias militares, lo que manifiesta una clara relación entre la vida religiosa y la civil. El rey era al mismo tiempo el sumo sacerdote y el jefe supremo del ejército, y vencer a los enemigos de Egipto se consideraba vital para mantener el orden o maat. Las batallas se llevaban a cabo en nombre de los dioses, quienes concedían las victorias, y como contrapartida se les dedicaban los triunfos militares.

Arriba: La gran sala hipóstila de Karnak, considerada antiguamente como una de las maravillas del mundo. Forma parte del complejo del templo dedicado a Amón y fue obra de un buen número de faraones: se empezó durante la XVIII Dinastía y se terminó bajo el reinado de los ramésidas. Este vasto espacio de más de 5.400 metros cuadrados fue en su día un patio abierto. Originariamente se techó con grandes losas de arenisca y la única luz natural provenía de las ventanas tríforas situadas a 20 metros de altura. Esto representaba un gran contraste con el período de Amarna, cuando las ceremonias religiosas se realizaban en espacios abiertos. El techo se sustentaba sobre un denso bosque de 134 columnas, 12 de ellas terminadas en flores de papiro abiertas y las restantes en capullos cerrados. Estos capiteles simbolizaban las cañas de papiro que crecían en el pantano del que emergió la vida según el mito egipcio de la creación. Los complejos de los templos incluían también un lago sagrado en representación de las aguas caóticas de las que nació el orden.

Arriba: Relieve tallado en Karnak. Se trata de un relieve elevado, en el que el fondo se ha eliminado para crear la imagen deseada. El relieve hundido, por el contrario, talla las figuras directamente de la piedra; esta forma constituye una característica particular del pe- *ríodo de Amarna. Antes de que el rey hereje Amenofis IV cambia-ra su nombre por el de Ajenatón y estableciera una nueva capital cerca de la actual Tell el-Amarna, construyó cuatro templos en Kar-nak, dedicados todos ellos a la deidad solar Atón.*

Arriba: *Relieve de la Capilla Roja de Hatshepsut en Karnak, que muestra a la reina quemando incienso en honor de los dioses. Hatshepsut fue hermanastra y esposa de Tutmosis II. Tras la temprana muerte del faraón, Hatshepsut reinó como regente en nombre del joven Tutmosis III. No fue la primera mujer faraón, pero su reinado de 20 años la distingue entre las féminas que se sentaron en el trono de Egipto.*

Derecha: *La reina Hatshepsut con aspecto de esfinge. A Hatshepsut se la representaba invariablemente con la barba ceremonial, el tocado nemes y el uraeus, los atributos de la monarquía.*

Página siguiente: *Relieve de un obelisco de Karnak que muestra a Hatshepsut con aspecto masculino mientras es coronada por Amón. Después de ejercer como regente de Tutmosis III durante siete años, adoptó el título de «Hija de Ra» y se proclamó a sí misma reina. Además, difundió la idea de que ella era hija de la divinidad, pues Amón tomando la forma de su padre había fecundado a su madre. Los jeroglíficos relacionados con Amón se desfiguraron durante el reinado de Ajenatón y fueron restaurados más tarde.*

Derecha: Relieve de la Capilla Roja de Hatshepsut, en el que la reina aparece con Sesjat, la diosa de la escritura. Durante el reinado de Hatshepsut se realizaron numerosas expediciones comerciales a la tierra de Punt –posiblemente la actual Somalia–, que se recuerdan en las paredes de su templo funerario en Deir el-Bahari. El oro se contaba entre los objetos que de allí se trajeron, y los relieves muestran a Sesjat grabando el peso del precioso cargamento.

Abajo: Hapshepsut y Amón, bajo el aspecto de Min, el antiguo dios de la fertilidad itipallic. Durante el Imperio Nuevo Min se fusionó con Amón. Las coronaciones reales y las celebraciones del jubileo incluían normalmente un festival de Min para garantizar la potencia del faraón.

Derecha: Estatua de Neferure, hija de Tutmosis II y de Hatshepsut, y de su tutor, Senenmut. El destino de Senenmut, consejero supremo de Hatshepsut, está envuelto en el misterio; probablemente, su desaparición allanó el camino para que Tutmosis III tuviera en sus manos las riendas del poder. El nuevo rey eliminó el nombre de Hatshepsut de algunos monumentos y destruyó la Capilla Roja. En un principio se pensó que esto fue un castigo por el largo período en el que se le negó su legítimo lugar en el trono. pero los estudiosos modernos creen que Hatshepsut y Tutmosis III disfrutaron de una exitosa corregencia, y que las actuaciones posteriores del rey responden más bien al deseo de mantener la tradición del mandato masculino que a un propósito de venganza.

Los jeroglíficos

A los griegos la escritura de los egipcios les pareció tan significativa como enigmática. Según el mito, fue un regalo de Thot, el dios de la escritura, a los hombres. Los griegos designaron con el nombre de jeroglíficos los signos de las inscripciones grabadas en las paredes de los templos, ya que jeroglífico significa literalmente «grabado en piedra». Para los propios egipcios eran «medu-netsher», «palabras divinas».

Los signos más antiguos datan de la segunda mitad del cuarto milenio a.C. Hasta el Imperio Nuevo el sistema de jeroglíficos se compuso básicamente de 800 signos. Algunos, los llamados logogramas, representaban palabras enteras, otros, denominados fonogramas, simbolizaban uno o varios sonidos, y otros, los determinativos, aludían a tipos concretos de significado. Estos últimos eran necesarios por el hecho de que no se escribían las vocales, y por tanto, algunas palabras te-

nían el mismo aspecto; en ese caso, el signo determinativo al final de la palabra proporcionaba la clave de su significado concreto. El orden de los signos podía manejarse con flexibilidad: de derecha a izquierda o en sentido contrario, en líneas o en columnas. Durante el Imperio Antiguo apareció una escritura cursiva, denominada hierática, en la que los signos eran más abstractos, lo que permitía escribir rápidamente sobre papiro los textos profanos y los borradores. La escritura hierática se fue simplificando hasta alcanzar su forma más sencilla durante el Período Tardío y el Período Ptolemaico en la llamada escritura demótica. En el siglo IV d.C., la difusión del cristianismo comportó la propagación de la escritura copta, con la cual el idioma de los egipcios se escribía con el alfabeto griego. La última inscripción en escritura jeroglífica se realizó en el año 394 d.C.; después, los jeroglíficos enmudecieron durante más de 1.400 años, hasta que Jean François Champollion les restituyó el habla en 1822.

Página anterior: El templo de Luxor, dedicado a Amón, se comenzó a construir durante el Imperio Medio, pero el principal responsable de la creación del complejo actual fue Amenofis III. Su propósito principal era que sirviera de escenario para la fiesta anual del Opet, cuando se trasladaba de Karnak a Luxor una estatua de Amón. Esta procesión ceremonial estaba asociada con la fertilidad, tanto de Amón como, por extensión, del faraón reinante.

Arriba: Una de las dos gigantescas estatuas sedentes de Amenofis III conocidas como los Colosos de Memnon. Situadas en la orilla oeste de Tebas, estas estatuas de arenisca y cuarcita de unos 18 metros de altura estuvieron en su día en la entrada del templo funerario de Amenofis III, del que hoy poco queda. A los pies del rey se encuentran las pequeñas figuras de su madre, Mutemwiya, y de su esposa, la reina Tiy.

Página anterior: Estatuilla del dios Amón, del templo dedicado a él en Karnak. Como ocurría con todas las divinidades, se asociaba a Amón con un animal, en este caso el carnero, famoso por su fertilidad y su beligerancia. No obstante, a Amón se le representaba siempre con forma humana.

Arriba: Fragmento de un relieve de la XVIII Dinastía en Saqqara que muestra a una mujer portando ofrendas.

Derecha: Detalle de un relieve del templo de Hatshepsut, en la orilla oeste de Tebas. Las fiestas religiosas eran momentos de gran regocijo en los que la música y la danza tenían un papel fundamental. El objetivo de la danza podía ser de mero entretenimiento pero también podía entrañar un elemento ritual, por ejemplo en las procesiones funerarias. No hay demasiadas diferencias entre esta danza rítmica y lo que hoy se denominan ejercicios acrobáticos o gimnásticos.

Página anterior: Ramsés II, tercer faraón de la XIX Dinastía, que reinó a lo largo de 67 años. Supervisó la realización de magníficas construcciones arquitectónicas, entre ellas el Ramesseum, su templo funerario en Tebas oeste, y dos templos excavados en la roca en Abu Simbel, en Nubia. Además, Ramsés II hizo sus propias aportaciones al templo de Amón en Luxor, por ejemplo, la monumental puerta de acceso, el primer pilono. Para este trabajo ordenó que se utilizara piedra de los templos dedicados al desacreditado Atón en Karnak. Ramsés II usurpó a menudo el trabajo de sus antepasados, al superponer sus propios cartuchos a los de reyes más antiguos y reemplazar las estatuas de éstos por las suyas propias.

Arriba: Relieve del templo de Ramsés II en Luxor que muestra una procesión perteneciente a la fiesta anual del Opet. La otra fiesta principal en honor de Amón incluía una procesión a lo largo del Nilo en la que se portaban estatuas de culto desde Karnak hasta el templo de Nebhepetre Mentuhotep, situado en la orilla oeste. Esta festividad se conocía como la Fiesta del Valle.

Izquierda: Relieve pintado en Karnak.

Página siguiente: Sesjat, la diosa de la escritura. Se la representa luciendo su tocado característico de cuernos de vaca invertidos sobre una flor. Sesjat era la cronista real, no una divinidad del pueblo. Los relieves del Imperio Nuevo la muestran inscribiendo en las hojas del árbol Ished detalles del reinado de los faraones. También asistía al rey en las tareas anteriores al trabajo de construcción de los templos.

Izquierda: Jeroglífico del ibis crestado, que se usaba para expresar la palabra «aj». Los egipcios creían que el ba y el ka de una persona, identificables a grandes rasgos con su personalidad y su espíritu, debían unirse después de la muerte para que el individuo pudiera ocupar satisfactoriamente su lugar en el mundo de los muertos. El aj era el resultado de esa unión. Una vez acoplados, permanecían unidos para toda la eternidad.

Abajo: Lista de reyes del templo de Ramsés II en Abidos. Deja constancia de las ofrendas de Ramsés a sus predecesores, cuyos nombres están grabados en filas de cartuchos. Todos los faraones seguían esta costumbre con el fin de establecer su propia legitimidad en la línea de sucesión real. Los reyes de la dinastía anterior asociados con el período de Amarna se omitieron de la lista.

Arriba: Desde el Período Dinástico Primitivo el carnero fue un símbolo muy poderoso, debido a su relación con la fertilidad. Se representaba a muchos dioses con aspecto de carnero. El más importante de ellos era Jnum, cuyo centro principal de culto se hallaba en la isla de Elefantina, cerca de la actual Asuán. De acuerdo con el mito de la creación de Elefantina, Jnum moldeó a las demás divinidades y a la humanidad en su torno de alfarero. Cuando Amón ascendió a la condición de rey de los dioses, también adoptó el aspecto de carnero como su símbolo sagrado. Esta hilera de esfinges con cabeza de carnero monta guardia en el templo de Amón en Karnak.

Página siguiente: Jeroglífico y cartucho de Ramsés II en el templo de Luxor. Los relieves del primer pilono, construido por Ramsés, narran su gran victoria sobre los hititas en Oriente Próximo, en el territorio actual de Siria y Palestina. La concepción egipcia de la realeza exigía que los reyes fueran representados derrotando al enemigo; de hecho, la batalla de Kadesh terminó en tablas y Ramsés se casó con dos princesas hititas para consolidar la paz entre los dos pueblos enfrentados.

*Arriba: El magnífico templo funerario de la reina Hatshepsut, de la XVIII Dinastía, en Deir el-Bahari.
Estaba excavado en parte en los acantilados de Tebas pero tenía tres terrazas independientes unidas entre
sí por medio de rampas. Hatshepsut no fue la primera mujer que desempeñó la función de faraón, pero
su reinado de 21 años, en un principio como regente de su hijastro Tutmosis III, no tenía precedentes. Se
proclamó a sí misma faraón después de siete años en calidad de regente y legitimó esa decisión asegurando
que era hija de Amón. Las paredes del templo muestran a Amón y a la diosa Hathor respaldando a Hatshepsut como soberana de Egipto. No obstante, se la consideró como «rey hembra» más que como reina,
puesto que el concepto de mujer faraona contravenía el concepto de «maat», es decir, el orden natural. Por
esta razón su sucesor, Tutmosis III, eliminó su nombre de la lista de reyes.*

Arriba: Relieve de la isla de Elefantina, en Asuán, principal centro de culto del dios carnero Jnum. Fue venerado como dios creador desde el Período Dinástico Primitivo, pues se creía que había modelado a la humanidad en su torno de alfarero. Los egipcios pensaban que la inundación anual comenzaba en Elefantina y por eso se asociaba a Jnum con la fertilidad de la tierra. El momento adecuado para hacer las ofrendas y súplicas a Jnum era cuando las aguas del Nilo se retiraban para permitir una rica cosecha. Los márgenes eran peligrosamente estrechos: una subida de 8 metros en la primera catarata de Asuán aseguraba unas reservas alimenticias abundantes; 1 metro menos comportaba un año de escasez y 5,8 metros significaba que habría hambruna una vez agotados los excedentes.

Derecha: Escena de una pared de Medinet Habu, templo funerario de Ramsés III, faraón de la XX Dinastía, situada en la orilla oeste de Tebas. Ramsés III, el último gran faraón del Imperio Nuevo, condujo a Egipto a famosas victorias sobre los libios y sobre unas tribus migratorias llamadas Pueblos del Mar. Estos acontecimientos se grabaron en Medinet Habu. Otras escenas muestran al rey ocioso con miembros de su harén. Se cree que el complot para asesinar al soberano lo tramaron las concubinas reales. No es seguro que el plan tuviera éxito pero se dio muerte a los conspiradores. Aun en el caso de que el anciano rey sobreviviera al atentado contra su vida, su reinado fue languideciendo entre considerables conflictos internos.

Derecha: Detalle de un relieve que muestra a Ajenatón, con los típicos dedos delgados, dejando caer ungüento gota a gota sobre una ofrenda a Atón. En el primer año de su reinado con el nombre de Amenofis IV, dedicó a Atón un nuevo templo en Karnak, el centro de adoración del dios Amón y el lugar donde residía el clero más poderoso de Egipto. Éste fue el primer paso hacia la imposición de un nuevo estatus religioso en el país.

Página siguiente: Esta estatua de arenisca de Ajenatón, de 4 metros de altura, adornaba el templo de Atón en Karnak. Ajenatón ordenó que se cerraran los templos dedicados a otros dioses, lo que tuvo un severo impacto en la economía egipcia y revolucionó las bases teológicas del país.

El rey hereje

Durante el reinado de Amenofis III el culto al sol desempeñó un papel cada vez más importante, en especial bajo su apariencia de disco solar en el firmamento, es decir de Atón, que era ante todo la materialización de la luz y el poder de los rayos del dios Ra. La progresiva relevancia del dios del Sol tuvo como consecuencia el oscurecimiento de los demás dioses, cuyas virtudes se atribuyeron al dios del Sol. Amón, que en su acepción de Amón-Ra estaba unido al dios del Sol, también se vio afectado por esta evolución, y perdió rápidamente su posición preeminente de poder ilimitado.

Amenofis III y su corte fomentaron abiertamente el culto a Atón, con la intención de reforzar la dignidad real, dado que el nuevo culto significaba la creación de nuevos e influyentes cargos públicos. El hijo y sucesor de Amenofis III llevó el culto a Atón a su punto culminante. Atón fue elevado por encima de todas las demás divinidades, se proscribió al dios Amón, se suspendió el culto a los antiguos dioses y sus templos se cerraron. En el sexto año de su reinado, Amenofis IV cambió su propio nombre por el de Ajenatón, que significa «Resplandor de Atón». La corte abandonó Tebas y se trasladó a una nueva capital a la que se llamó Ajetatón, es decir «Horizonte de Atón»; esta ciudad se encontraba cerca de la actual Tell el-Amarna, en el Egipto Medio.

Sin embargo, la nueva religión no perduró durante mucho tiempo y con Tutankamón se abandonó el «experimento de Amarna». El propio Ajenatón fue víctima de una *damnatio memoriae*.

Izquierda: Ajenatón besa a su hija en una típica escena familiar íntima del período de Amarna. Nefertiti le dio a Ajenatón seis hijas. El rey se casó con dos de ellas en un intento de tener un heredero varón.

Página siguiente: Detalle de una estela procedente de Amarna que muestra a Nefertiti con dos de sus hijas en el regazo mientras un tercera recibe un regalo de Ajenatón. La deformación craneal es un rasgo típico del arte del período de Amarna.

El nacimiento y la infancia

En el Antiguo Egipto, el embarazo y el parto iban acompañados de rituales y conjuros, dados los numerosos peligros que amenazaban a la madre y al niño. Para determinar la existencia de un embarazo las mujeres orinaban sobre granos germinados de cebada y de trigo. Si crecía la cebada, significaba que nacería un niño; si crecía el trigo, cabía esperar que nacería una niña. Si los cereales no prosperaban, la mujer no estaba embarazada. Las investigaciones modernas han establecido que con la ayuda de este método se puede pronosticar un embarazo, pero no es posible determinar el sexo de la criatura.

El número de fetos que nacían muertos y la mortalidad infantil eran muy elevados, y a ello hay que añadir que muchas madres morían de parto. No es de extrañar, por tanto, que los paritorios donde las mujeres daban a luz estuvieran decorados con imágenes de Bes y Thoeris, las divinidades protectoras de las embarazadas y de las parturientas. Talismanes y cuchillos mágicos de marfil debían protegerlas de los demonios. Durante el parto se invocaba el amparo de numerosas divinidades, entre ellas Hathor, Isis y Neftis. Las mujeres traían al mundo a sus hijos puestas en cuclillas sobre el suelo o sobre ladrillos. Al parecer, el día del alumbramiento permitía hacer deducciones sobre el destino del recién nacido. Había días fastos y nefastos, días que pronosticaban una larga vida y otros que predecían una muerte temprana e incluso la causa del fallecimiento. La infancia comprendía los primeros diez años de vida. En el transcurso de los diez siguientes los jóvenes debían aprender un oficio para poder independizarse y crear una familia. Los varones contraían matrimonio a la edad de unos veinte años y las muchachas después de la pubertad.

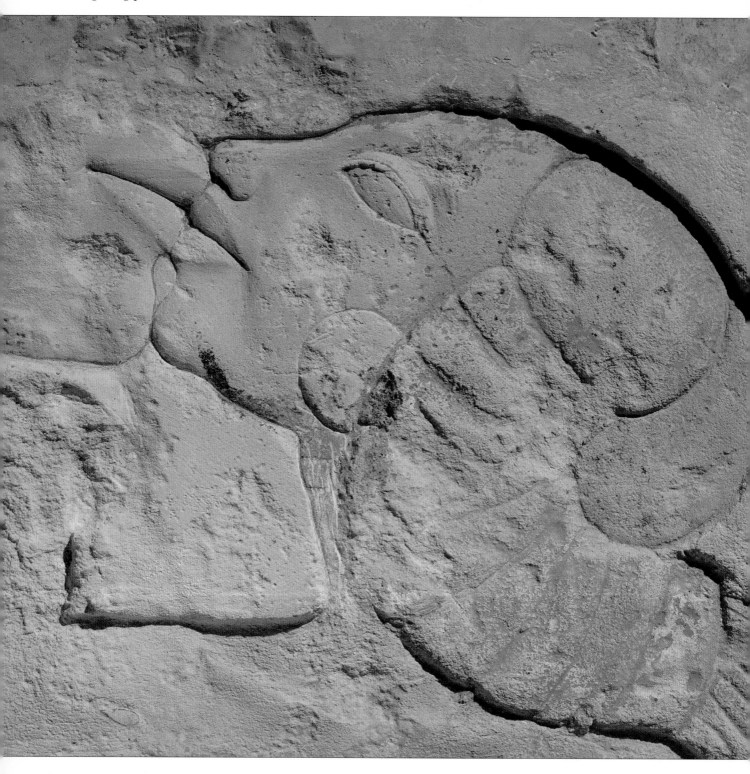

Arriba: Detalle de un relieve que representa a Nefertiti besando a una de sus seis hija, posiblemente Meritatón. En los últimos años del reinado de Ajenatón, Nefertiti perdió su papel de esposa principal y se redujeron el considerable poder y la influencia que había ejercido. Unos piensan que Nefertiti murió en el vigésimo cuarto año de reinado de Ajenatón. Otros sugieren que, en ausencia de un heredero varón, asumió el papel de corregente y a la muerte de su marido accedió al trono con el nombre de Smenjkare.

Página siguiente: Cabeza inacabada de la reina Nefertiti, que debería de haberse completado con un majestuoso tocado en un material diferente. Es una de las obras más relevantes de Tutmosis, el principal escultor de su tiempo, cuyo taller en Amarna fue descubierto en 1912 por el arqueólogo alemán Ludwig Borchardt. La atracción principal de su colección fue el busto pintado de Nefertiti (al dorso). Aunque falta la incrustación coloreada de uno de los ojos, esta pieza se ha convertido en uno de los grandes iconos del Antiguo Egipto.

*Página anterior: Nefertiti, esposa princi-
pal de Ajenatón, faraón de la XVIII Dinastía. Famosa por su belleza, Nefertiti
ejerció un poder enorme durante el efí-
mero flirteo de Egipto con el monoteísmo
en lo que ahora se conoce como período
de Amarna.*

*Derecha: Detalle de un relieve que mues-
tra a Ajenatón ofreciendo una rama de
olivo a Atón. Los rayos del disco solar tienen manos en sus extremos y algunas de
ellas sostienen el anj, símbolo de la vida.*

El arte en el Período de Amarna

La firme decisión de Ajenatón de romper con la tradición y con los antiguos convencionalismos se refleja
con claridad en las creaciones artísticas de la época de
Amarna. Después del traslado de la corte al nuevo palacio próximo a Amarna, el rey se ocupó personalmente
de crear una nueva imagen de sí mismo, de sus alle-
gados de la casa real, e incluso de la naturaleza de todos los seres vivos que en ella habitaban. En este sentido, el escultor Bak dice en una inscripción que él es
«uno a quien su majestad ha instruido por sí mismo».

El nuevo estilo se caracteriza por un radicalismo
desconocido hasta entonces. Las imágenes ya no representan al rey de acuerdo con un ideal atlético; al
contrario, aparece con brazos delgados, dedos extremadamente largos, caderas anchas y vientre abultado.
Se ha especulado mucho con la posibilidad de que Aje-

natón padeciera alguna enfermedad y sobre el aspecto real del soberano, pero lo único seguro es que con
el cambio de estilo pretendía expresar en el arte el
nuevo dogma religioso.

En este contexto hay que situar las escenas familiares del rey con su esposa Nefertiti y sus hijas, en las
que la pareja aparece junto a Atón a modo de tríada divina. El propio dios se muestra en ellas como un disco
solar suspendido en el cielo, del cual emanan rayos ter-
minados en manos que sostienen el símbolo de la vida
junto a la nariz del rey y de su familia en exclusiva.

Esta forma de representación expresa gráficamente la idea de que sólo el rey tenía derecho a relacio-
narse directamente con Atón; la fuerza bienhechora
del dios se transmitía al pueblo únicamente a través
de Ajenatón y su familia.

Arriba: Detalle de un relieve que representa a dos de las princesas nacidas de Ajenatón y Nefertiti. Una de las características del arte del período de Amarna es la importancia que se otorga a los hijos del rey. Los rayos simbólicos del disco solar se representaban a menudo brillando sobre la familia real al completo, no sólo sobre el faraón. Los egipcios normales y corrientes sólo podían adorar a Atón de manera indirecta, mediante la adoración al rey y a su familia.

Página siguiente: Busto de una de las hijas de Ajenatón y Nefertiti. Ajenatón se casó con su tercera hija, Anjesenatón, en un intento fallido de asegurar un heredero varón. Ella misma se convirtió más tarde en la esposa del joven faraón Tutankamón, durante cuyo reinado se abandonó el culto a Atón y se restauró la adoración a las antiguas divinidades. La corte real volvió a Menfis, y ambos cónyuges reemplazaron el sufijo «atón» de sus nombres por el de «amón», distanciándose así del antiguo régimen.

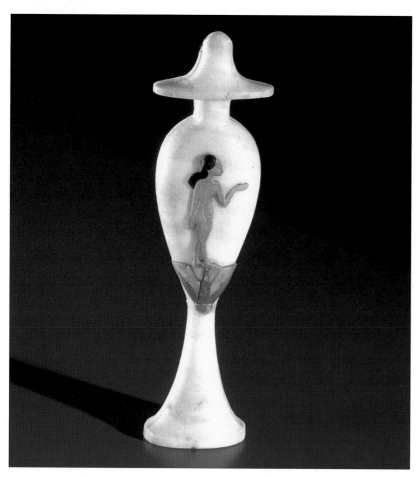

Izquierda: Bote de perfume de alabastro con incrustaciones de cornelina, obsidiana y cristales de colores. Representa a una princesa de Amarna desnuda haciendo ofendas a Atón. Después de los dieciocho años de reinado de Ajenatón, el trono pasó a la oscura figura de Smenjkare, que algunos creen que podría ser Nefertiti. Otros piensan que Smenjkare fue un joven príncipe, de parentesco incierto, que murió cuando tenía alrededor de veinte años, dejando el trono a su hermano menor, Tutankamón.

Abajo: Fragmento de un relieve en el que aparecen una cabeza y un cuello en el típico estilo de Amarna: cuello delgado y largo y labios gruesos. Las revolucionarias convenciones artísticas de la época murieron junto con el régimen que las generó.

Arriba: Placa de marfil del período de Amarna, en la que una de las princesas recoge flores de loto y uvas.

*Arriba: Nefertiti ofreciendo libaciones a Atón.
También se representaba a Nefertiti humillando
a los enemigos de Egipto, imagen asociada habitualmente con el faraón, y oficiando en ceremonias de Estado al lado de su marido. Cuando se
restauró el antiguo régimen, Nefertiti corrió la
misma suerte que su esposo por haber desempe-
ñado un papel muy activo en el régimen revolu-
cionario. Se eliminaron las imágenes de ambos y
se borraron sus nombres de los registros públicos.*

*Derecha: Relieve que muestra a un miembro de
la familia real recibiendo los benéficos rayos de
Atón.*

*Página siguiente: Fragmento de un relieve en el
que aparecen escribas rindiendo cuentas. La preocupación de Ajenatón por el culto a Atón con-
tribuyó al declive económico, lo que provocó a su
vez desórdenes internos y un debilitamiento de la
autoridad real.*

El comercio

La economía de Egipto, uno de los países más ricos de la antigüedad, se basó en el comercio de trueque hasta el Período Tardío. Este sistema se empleaba tanto en el comercio exterior como en la economía interna. Los sueldos se pagaban en raciones de grano de cuantía estipulada y los impuestos se liquidaban también en especies. La medición de las cantidades se determinaba con arreglo al curso fijado para la plata y el cobre. El peso se determinaba mediante pesas de piedra. En el Imperio Nuevo se utilizaron pesas de bronce con formas de animales para pesar el oro.

La madera era en Egipto un bien escaso; se importaba madera de cedro del Líbano. Gozaban de una gran aceptación materiales de lujo como el lapislázuli de Afganistán, el ébano y el marfil de África central, la plata y el bronce de Siria y las sustancias oleaginosas de Chipre o Creta. Estas materias primas se cambiaban por oro. En las épocas en que la política exterior fue tan intensa como fructífera, floreció el intercambio de presentes diplomáticos entre la corte de Egipto y las casas reales de Oriente Medio.

La moneda numeraria –como la que circuló en Grecia hacia los siglos VIII/VII a.C.– no se introdujo en Egipto hasta comienzos del siglo IV a.C.; al principio como retribución de los soldados griegos y desde la época de Alejandro Magno para las transacciones en general.

El ejército y el armamento

En el transcurso de sus 3000 años de historia, los antiguos egipcios lograron mantener una y otra vez su independencia. Este éxito se debió a su pericia militar, pero sin olvidar el papel determinante que desempeñó la geografía del territorio. El país estaba rodeado por el desierto y ello dificultaba en gran manera los ataques por sorpresa. En las regiones de importancia estratégica, esta barrera natural se reforzó con un sinfín de fortalezas que llegaron a formar una muralla de protección casi impenetrable.

El Segundo Período Intermedio aportó innovaciones decisivas en el arte de la guerra. Estuvo marcado por la presencia de los hicsos, cuyos antepasados inmigraron a la zona palestina del delta durante el Imperio Medio.

Para estar a la altura de la superioridad técnica de los hicsos, los soberanos del Alto Egipto se adaptaron una y otra vez a su estrategia y a sus técnicas de combate. Con el transcurso del tiempo, a las armas tradicionales de los egipcios, como el puñal, la espada, el hacha, y el arco y la flecha, se añadieron otras armas especiales muy evolucionadas. Su uso exigía un largo entrenamiento antes de poder emplearlas en combate con precisión. Estas destacables armas especiales incluyen, por ejemplo, el arco compuesto y el carro de guerra entre las de carácter ofensivo, y el casco y el peto acorazados entre las de índole defensiva. Los hicsos modificaron con eficacia no sólo la política exterior del Imperio Nuevo, que pasó a ser agresiva y expansionista, sino también la estructura del ejército egipcio. Éste se dotó en mayor número de tropas especiales y de elite, como los cuerpos de carros de guerra, así como de mandos estratégicos y logísticos muy competentes.

El soldado que se distinguía en combate era recompensado con condecoraciones al valor o a la resistencia en forma de colgantes dorados. Los prisioneros de guerra, a los que se integraba de manera progresiva en el ejército, podían hacer carrera en la milicia e incluso conseguir la libertad.

Página anterior: Dibujo preliminar para el relieve de una tumba que representa un caballo y un carro.

Arriba: Detalle de un cofre de madera pintada hallado en la tumba de Tutankamón. Muestra un carro tirado por caballos, equipamiento que llegó a Egipto durante el Segundo Período Intermedio. El carro no tardó en convertirse en una pieza básica de la capacidad militar de Egipto, al servir de plataforma en movimiento desde la cual los arqueros podían disparar sus flechas. Los soldados que conducían los carros eran las tropas de elite del ejército, conocidas con el nombre de maryannu. *La decoración con carros ceremoniales también formó parte de las insignias reales.*

Derecha: Relieve de una tumba de Amarna que representa soldados en formación de batalla. Se ha sugerido que Ajenatón sentía escaso interés por la política exterior, lo que permitió que se perdieran los territorios del Próximo Oriente sobre los que Egipto ejercía su dominio. La iconografía respalda esta idea, pues hay pocas evidencias de que Ajenatón fuera un rey guerrero. Sin embargo, otras fuentes hacen referencia a campañas en Asia occidental, y el hecho de que éstas no estén representadas gráficamente podría ser sin más otra convención de la época.

El Valle de los Reyes

Después del Segundo Período Intermedio, el Imperio Nuevo conllevó una nueva fase de consolidación, durante la cual Tebas se convirtió en el centro religioso y político del país. No lejos de la capital, a una distancia de unos cinco kilómetros del Nilo y en su lado oeste, se habilitó una necrópolis real, el famoso Valle de los Reyes. En el transcurso de los siglos siguientes, los sobe-ranos de las XVIII, XIX y XX Dinastías, desde Tutmosis I hasta Ramsés XI, se hicieron enterrar en profundas tumbas excavadas al pie de las empinadas vertientes rocosas del valle.

La opción por sepulturas de este tipo obedeció a criterios puramente pragmáticos, pues ni las monumentales pirámides del Imperio Antiguo ni los complicados sistemas de pasadizos de las pirámides del Imperio Medio habían podido evitar la profanación y el saqueo de las últimas moradas de los reyes. Por ello se recurrió a tumbas menos visibles, profundamente excavadas en las rocas del lugar. Los trabajadores necesarios –obreros, artesanos y artistas–, fueron instalados con sus familias cerca del Valle de los Reyes, en la colonia obrera de Deir el-Medina.

Si bien las primeras sepulturas fueron pequeñas cámaras profundamente excavadas en la roca, con el tiempo las tumbas tuvieron cada vez mayores dimensiones. Se abrieron largos pasillos de hasta cuatro metros de altura que desembocaban en un conjunto de salas, algunas de ellas con columnas. La decoración de las paredes, por lo general pintada sobre el revoque, muestra magníficas imágenes y textos expiatorios de intenso colorido.

Las nuevas tumbas excavadas en la roca tampoco se mantuvieron a salvo de los saqueadores, como lo demuestran las actas del Imperio Nuevo sobre los procesos judiciales de los ladrones de tumbas. Además, investigaciones recientes sugieren que, durante el Tercer Período Intermedio, el sumo sacerdote Pianj ordenó «oficialmente» vaciar las tumbas para financiar un conflicto armado en el Alto Egipto. En esta época, muchas momias reales se inhumaron de manera provisional en los hoy llamados escondrijos de momias, descubiertos a finales del siglo XIX.

Separados de las tumbas, en el borde del desierto de Tebas-oeste, se alzan los templos funerarios de los reyes, a los que correspondían las mismas funciones de culto que a los templos de las pirámides del Imperio Antiguo y del Imperio Medio.

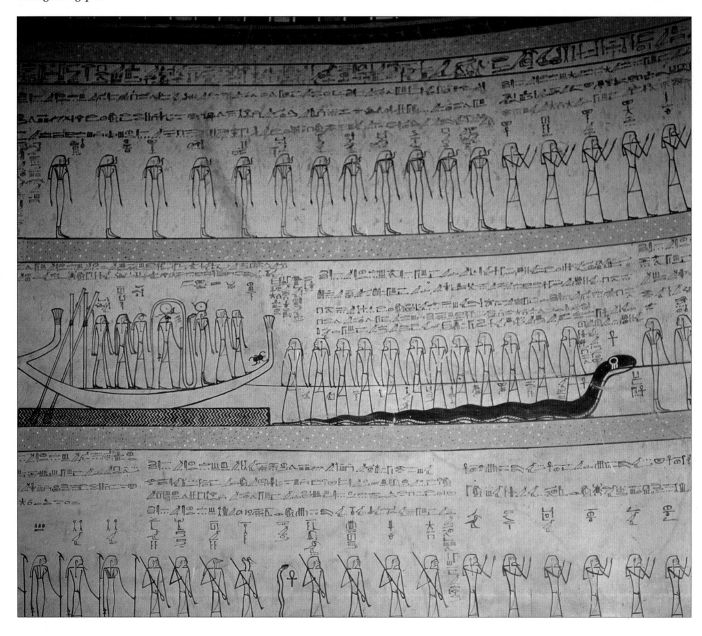

Arriba: Escena pintada en la pared de la tumba de Tutmosis III en el Valle de los Reyes. Las imágenes proceden del Amduat, el libro que contiene la concepción egipcia del mundo de los muertos. Incluye numerosos textos funerarios que describen el viaje del dios del Sol a través del cielo nocturno y su renacimiento en el nuevo amanecer. También contiene hechizos destinados a proteger al faraón muerto en su viaje hacia la vida de ultratumba.

Página siguiente: Detalle de una pared pintada de la tumba de Tutmosis IV, faraón de la XVIII Dinastía, en la que el rey es introducido por Hathor en la vida de ultratumba. La diosa vaca ofrece a Tutmosis el anj, símbolo de la vida. Es una imagen recurrente, indicativa de que el rey había dejado el mundo mortal para comenzar una vida eterna entre los dioses. Tutmosis IV, hijo de Amenofis II, no era al parecer el heredero previsto. El dios creador le prometió en sueños que ocuparía el trono si extraía la arena que cubría la Gran Esfinge de Gizeh. Tutmosis cumplió esta misión y, como estaba previsto, accedió al trono: reinó entre 1400 y 1390 a.C.

Arriba: Cabeza de la reina Tiy, esposa principal de Amenofis III y madre del rey hereje Ajenatón. Tiy no provenía del círculo real y su ascenso social a través del matrimonio supuso una ruptura de los convencionalismos. Desempeñó un activo papel político, que incluía promover junto con Amenofis el culto a Atón en detrimento del orden de divinidades establecido. El rey buscaba con ello el empobrecimiento de los sacerdotes de Amón, que a su juicio ejercían demasiado poder, y la elección de Tiy como esposa principal se debió en parte al deseo de desafiar la autoridad del clero de Karnak.

Página siguiente: Cabeza momificada de Nebiry, jefe de las caballerizas reales durante el reinado de Tutmosis III. Fue enterrado en el Valle de las Reinas. Su tumba la descubrió Ernesto Schiaparelli durante sus trabajos de excavación entre 1903 y 1905.

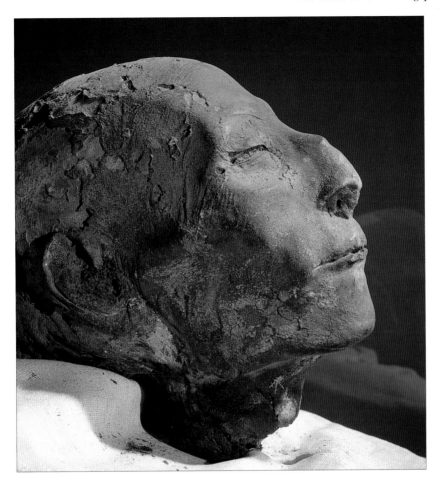

La momificación

En el Período Predinástico los egipcios sepultaban a sus muertos enterrándolos en el desierto. Las condiciones climáticas de la zona secaban los cadáveres, que se conservaban así de manera natural. Cuando las tormentas de arena o los animales salvajes desenterraban algún cadáver, los egipcios observaban que se había secado pero que, por lo demás, presentaba un buen estado de conservación. La preservación de los cuerpos se convirtió con el tiempo en una parte esencial de las creencias en el más allá, al atribuirse al cadáver un papel cada vez más importante como morada del alma liberada. Por ello, cuando las inhumaciones pasaron a realizarse en ataúdes de madera, sarcófagos de piedra y tumbas de piedra, hubo que recurrir a medios artificiales para lograr la conservación del cadáver.

Un primer paso fue la extracción de los órganos internos (intestinos, hígado, pulmones, estómago), que a partir de entonces se sepultaron por separado en el interior de los vasos canopes. También se extraía el cerebro. Si bien al principio la momificación fue un privilegio de la familia real y de las elites, a partir del Imperio Antiguo accedieron a ella otras clases sociales como los sacerdotes y los funcionarios.

Para la desecación de los muertos, los embalsamadores empleaban bicarbonato sódico, que introducían en saquitos alrededor del cuerpo. Hasta el Período Tardío no se adoptó la costumbre de sumergir los cuerpos varias semanas en una solución salina, tal como lo describió Herodoto en el siglo IV a.C. Para finalizar se envolvía el cadáver con vendas de lino de hasta 400 m de longitud, empapadas en aceites y resinas. Bajo las vendas se depositaban amuletos que debían proteger el cuerpo en el más allá. A los 40-70 días se celebraba el ritual de la abertura de la boca para vivificar y reanimar al muerto; finalmente se procedía a la inhumación de la momia en la tumba que tenía preparada.

El término «momia» procede del persa «mum» y significa betún natural. Esta materia se empleó muy pronto como medio de curación. Dada su escasez, los médicos medievales trataron de hallar un remedio que la sustituyera y creyeron encontrarlo en las sustancias resinosas de las cavidades de cadáveres embalsamados.

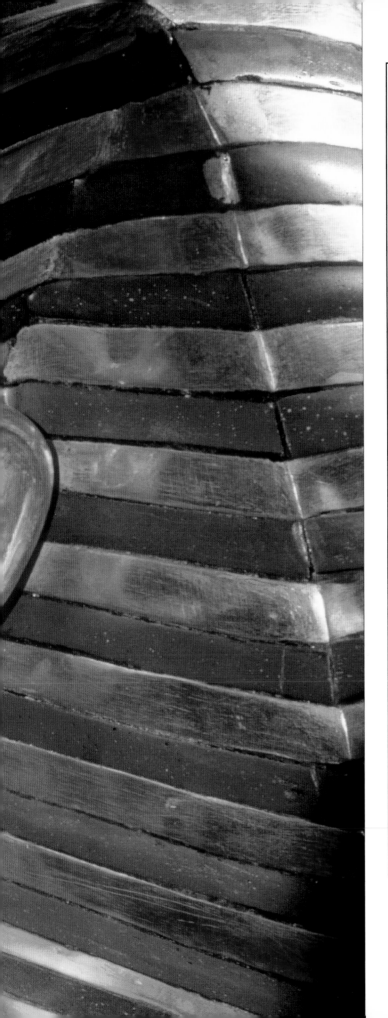

El descubrimiento de Carter

En el año 1907 lord Carnarvon, que convalecía en Egipto recuperándose de un grave accidente de automóvil, comenzó a interesarse por las primeras excavaciones. Poco después conoció a Howard Carter, egiptólogo experto con quien emprendió a partir de 1909 distintos proyectos. Mientras Howard Carter trabajaba sobre el lugar investigado, lord Carnarvon se limitaba a realizar visitas esporádicas y a financiar los trabajos.

La búsqueda promovida por Carter de la tumba de Tutankamón no pudo comenzar oficialmente hasta el año 1915, cuando el americano Theodore Davis renunció a su concesión para excavar en el Valle de los Reyes, convencido de que ya no quedaba nada más por descubrir. Después de amplios preparativos, en 1917 Carter comenzó un trabajo sistemático en el Valle de los Reyes durante varios años.

Tras una búsqueda larga e infructuosa, en 1921 lord Carnarvon decidió abandonar el proyecto Tutankamón, pero Carter consiguió convencerlo para hacer un último intento. El 4 de noviembre descubrió por fin, más abajo de la entrada de la tumba de Ramsés VI, los primeros peldaños de una escalera excavada en la roca que conducía hasta la entrada de una tumba. Carnarvon fue informado inmediatamente del acontecimiento por vía telegráfica, y el 23 de noviembre llegó a Egipto.

La tensión aumentó en los días siguientes, cuando se desenterraron 16 escalones y la puerta de la primera cámara sellada con el cartucho de Tutankamón. El 26 de noviembre todo estaba a punto. Carter practicó un pequeño agujero en la entrada tapiada: «Al principio no pude distinguir nada, de la cámara salió un aire caliente que hizo temblar la llama de la vela. Cuando mis ojos se acostumbraron a la oscuridad, los detalles de la cámara fueron haciéndose progresivamente visibles. Extraños animales, estatuas y oro, por todas partes el brillo del oro». Con este hallazgo, Howard Carter logró el mayor descubrimiento de la historia de la arqueología.

Página anterior: Escena de caza representada en uno de los cofres encontrados en la tumba de Tutankamón. Muestra al rey en acción, contemplado por la reina Anjesenamón. Muchos de los objetos que había en los cofres estaban relacionados con las actividades propias de un soberano egipcio, por ejemplo, hondas, porras, boomerangs, elementos arrojadizos, espadas y equipamiento de arquero. Había ocho escudos con fines defensivos, algunos para uso ceremonial y otros que podrían haber servido en el campo de batalla. Los escudos ceremoniales representan a Tutankamón como un rey guerrero, tanto con aspecto de león pisoteando a los enemigos de Egipto, como en forma humana golpeando al enemigo con un khopesh *(una especie de sable).*

Arriba: Detalle de un cofre aparecido en la antecámara de la tumba de Tutankamón, decorado con exquisitas escenas de batalla y de caza. Muestra a los nubios aplastados por el rey. El batiburrillo de los cuerpos de los vencidos también sugiere caos, sobre el cual Tutankamón había establecido el orden.

Arriba: Detalle de un sarcófago dorado encontrado en la antecámara de la tumba de Tutankamón. Está embelleci-do con numerosos relieves tallados que muestran escenas de la vida diaria de la pareja real. El ataúd contenía ori-ginariamente una estatua que fue robada en la antigüedad. Los saqueadores de tumbas consiguieron entrar dos veces; en la segunda ocasión fueron apresados y el botín recuperado se devolvió a la cámara.

Página siguiente: Panel del respaldo del trono dorado de Tutankamón, que representa a la reina Anjesenamón ofre-ciendo a su marido el perfume o ünguento de una copa de bálsamo. Esta escena conmovedora resume la tensa situa-ción político-religiosa existente hacia el final del período de Amarna. La imagen del disco solar responde claramen-te al culto a Atón, pero en algunos de los cartuchos el sufijo «atón» se ha reemplazado por «amón». Las referencias claras a un período condenado como herético fueron habitualmente eliminadas. Cuando se descubrió el trono, tenía vestigios que apuntaban a que poseía una cubierta de lino. Esto sugiere que se consideró demasiado valioso para ser destruido pero que su relación con el desacreditado régimen impedía que desempeñara un papel destacado.

Izquierda: Tutankamón es abrazado por Osiris, el dios de los muertos. Osiris luce el atef, una alta corona blanca flanqueada por dos plumas. Su piel a veces es blanca, a juego con su túnica, y otras veces oscura, como símbolo de la regeneración.

Derecha: Escena de la pared norte de la cámara funeraria de Tutankamón. Ay, vestido con la piel de leopardo del sacerdote sem, practica la ceremonia de la abertura de la boca al rey muerto. Este ritual lo llevaba a cabo normalmente el hijo y heredero. Cuando había problemas de sucesión, como ocurrió después de la muerte de Tutankamón, esta ceremonia servía para que el nuevo rey legitimara su posición.

El ritual de la abertura de la boca

Este ritual, cuyos orígenes se remontan al Período Predinástico, tenía por objeto vivificar mágicamente la estatua o la momia de una persona, dado que el fallecido debía disponer en el más allá de la capacidad física necesaria para poder respirar, oler, ver, oír, hablar y moverse, y también para desarrollar actividad sexual.

Se consideraba elemental para ello la posibilidad de tomar alimentos, y de ahí que el ritual recibiera la denominación de «abertura de la boca». En el transcurso de la ceremonia, un sacerdote o un pariente próximo tocaba las distintas partes del cuerpo con utensilios especiales mientras recitaba versículos de poderosos efectos. Al final, la estatua o la momia tratada de este modo era capaz de acoger el ba y el ka, las dos partes del alma de una persona, cuya renovada unión tras la muerte convertía al fallecido en un espíritu eterno de aj.

Relieves que representan a Tutankamón (página anterior) y a la reina Anjesenamón (arriba). Tutankamón no dejó un heredero natural. Fue enterrado con dos niños nacidos muertos y con un mechón de cabello perteneciente a su abuela, la reina Tiy. Su sucesor en el trono, Ay, era un alto funcionario de la corte que aseguró su posición al casarse con la viuda real.

Página siguiente izquierda: Uno de los muchos pectorales espléndidos recuperados de la tumba de Tutankamón. Los tirantes están formados por placas que llevan incrustados uraeus, escarabajos y discos solares. El colgante presenta un escarabajo que sujeta un sol y está flanqueado por dos uraeus. El uraeus era la imagen de la cobra, que estaba asociada con la realeza y aparecía en la mayoría de los tocados reales. Wadjet, la diosa cobra, simbolizaba al Bajo Egipto, mientras que el Alto Egipto estaba representado por Nejbet, la diosa buitre. Tanto el buitre como la cobra aparecen en el título y en las insignias reales para identificar al rey como soberano de las dos regiones.

Página siguiente derecha: Colgante de oro con la forma de la diosa Werethekau con cuerpo de serpiente amamantando al joven rey Tutankamón.

Izquierda: Detalle del carro de Tutankamón. Figura de madera dorada del halcón Horus sosteniendo en su cabeza el disco solar decorado con un escarabeo alado, el dios escarabajo asociado con el sol.

Tutankamón

Se desconoce quiénes fueron los padres de Tutankamón. La posible paternidad de Ajenatón no se ha
demostrado con seguridad. Durante el reinado de Ajenatón se produjo el enaltecimiento del dios Atón por
encima de todas las demás divinidades, y el nuevo
dios oficial del Estado desempeñó un papel importante también para el joven Tutankamón. Cuando subió
al trono a la edad de nueve años, hacia el año 1333 a.C.,
se llamaba todavía Tutankatón, «Imagen viviente de
Atón».

Bajo la influencia de sus consejeros, la capital no
tardó en trasladarse de Ajetatón a Menfis, se reim-
plantó el culto a Amón en Tebas y se abrieron de
nuevo los templos de los antiguos dioses que habían
sido cerrados. El joven rey se llamó desde entonces
Tutankamón, «Imagen viviente de Amón». Aún no
había cumplido los veinte años cuando murió inesperadamente. El poder recayó en Ay, un cortesano eminente que probablemente ya dirigía el gobierno desde
un segundo plano y que ordenó la pronta inhumación
de Tutankamón en el Valle de los Reyes. Bajo los ramésidas, los soberanos de Amarna cayeron en desgracia: fueron declarados herejes y el nombre de Tutankamón se borró incluso de la lista de reyes, con lo que
cayó en el olvido. Cuando se abandonó el Valle de los
Reyes durante el reinado de Ramsés XI, la entrada de
la tumba de Tutankamón estaba sepultada bajo los es-
combros provenientes de la excavación de otras tumbas. Esto fue lo que la preservó durante milenios, hasta
que en 1922 Howard Carter hizo eternamente famoso
en todo el mundo el nombre y la máscara funeraria de
oro del joven monarca.

La maldición de Tutankamón

El 5 de abril de 1923, tan sólo cinco meses después del descubrimiento de la tumba de Tutankamón, falleció lord Carnarvon a la edad de 58 años. Fue víctima de un envenenamiento de la sangre al cortarse durante el afeitado la picadura de un insecto. En el transcurso de la excavación se produjo en el equipo una extraña retahíla de muertes, que hizo pensar en la relación de estos acontecimientos con la apertura de la tumba. Murieron el egiptólogo inglés Arthur Mace, el egiptólogo francés Georges Benedite y el hermano de Carnarvon, Aubrey Herbert, un especialista en rayos X, que falleció en septiembre de 1923, cuando se preparaba para examinar la momia. Estas muertes fueron un cebo fácil para la prensa sensacionalista y pronto se consideraron una demostración de que el faraón se vengaba así de quienes habían perturbado su reposo eterno.

A pesar de que había explicaciones plausibles para todas estas defunciones –la salud de lord Carnarvon estaba muy debilitada después del accidente sufrido mucho antes, Mace padecía ya una pleuresía cuando se realizó el descubrimiento, Benedite fue víctima de un golpe de calor– y de que otros participantes en la excavación murieron a edad muy avanzada, la leyenda de la maldición del faraón se ha mantenido obstinadamente hasta nuestros días.

Página anterior: Jarra de perfume de la cámara funeraria de Tutankamón. Si bien el rey fue enterrado con numerosas piezas espléndidas y su tumba es la mejor conservada de todas las descubiertas hasta entonces, la cámara funeraria en sí es pequeña. Esto sugiere que el lugar que eligió para su enterramiento no estaba preparado en el momento de su prematura muerte y que se le buscó un sustituto apresuradamente.

Izquierda: Colgante de la tumba de Tutankamón. La momia del rey estaba decorada con más de 100 piezas de joyería.

Arriba: Detalle del sarcófago dorado de Tutankamón que contenía originariamente estatuillas de la pareja real. La escena representa un ritual de caza en el que la reina Anjesenamón ayuda a su marido.

Página siguiente: Pared pintada de la tumba de Horemheb, un general del ejército que llegó a ser oficial superior durante el reinado de Tutankamón y, finalmente, faraón. Durante el reinado de Horemheb fue cuando se eliminaron todas las referencias a Ajenatón y a las herejías del período de Amarna. El nuevo soberano llegó incluso a datar su reinado con anterioridad a la muerte de Amenofis III para eliminar de los registros esa era deshonrosa. Se había preparado una tumba para Horemheb en Saqqara, pero después de su subida al trono se abandonó a favor de una sepultura más eminente en el Valle de los Reyes.

El Valle de las Reinas

En contra de lo que sugiere su nombre, durante la XVIII Dinastía en el Valle de los Reyes se sepultó también a príncipes y esposas de reyes, entre ellas la reina Teye, esposa de Amenofis III, e incluso sus suegros Juja y Tuja, que fueron inhumados en una pequeña tumba del valle. A la reina Hatsepsut le correspondió ocupar una tumba en el valle donde eran sepultados los reyes en respuesta a su dignidad de faraón. A partir de la XVIII Dinastía se utilizó un pequeño valle situado unos kilómetros al sur para sepultar a miembros de la casa real. En él tenían su última morada los infantes y personas particulares relacionadas con la educación de los príncipes y de las princesas. Pero fue al comienzo de la XIX Dinastía cuando este lugar se fue convirtiendo en el preferido para dar sepultura a las esposas de los reyes. Se realizaron más de 90 inhumaciones, algunas en tumbas que no se terminaron.

La tumba más famosa es, con diferencia, la de la reina Nefertari, la primera de las siete grandes esposas de Ramsés II. La descubrió el egiptólogo italiano Ernesto Schiaparelli en el año 1904. Sus relieves y pinturas, cuya belleza y colorido dejan sin aliento, muestran la llegada de la reina al imperio de Osiris, su transfiguración y la superación del juicio de los muertos, su camino hasta el más allá en compañía de los dioses y la obtención de la inmortalidad por medio de su transformación en Osiris.

La tumba, severamente dañada en 1950 por un corrimiento de tierras, fue restaurada con primor a lo largo de la década de 1990.

Derecha: Pared pintada de la tumba de la reina Nefertari que muestra la unión de los dioses Ra y Osiris, representado este último con forma de carnero.

Página anterior: Pared pintada de la tumba de Nefertari con la representación de Osiris. De acuerdo con el mito, Osiris gobernó Egipto y, por lo tanto, se le mostraba a menudo con el cayado y el flagelo, símbolos de la realeza. Su piel a veces era blanca, en alusión a la envoltura de los cuerpos momificados, y otras veces negra, en referencia al rico y oscuro limo que sustentaba la economía de Egipto.

Izquierda: Detalle de la tumba de Nefertari con la representación de una garza y un halcón. Ésta era un ave sagrada asociada con varios dioses, el más importante de los cuales era Horus, hijo de Osiris. Se creía que el faraón reinante era una encarnación de Horus.

Abajo izquierda: Figura leonina de la tumba de Nefertari. El dios león Aker custodiaba la puerta del mundo de los muertos por la que pasaba el sol cada día. Los leones se asociaban con la muerte y el renacimiento, así como también con la realeza.

Abajo derecha: Detalle de la tumba de Nefertari en el que aparece Neith, una antigua diosa creadora cuyo centro de culto estaba en Sais, la ciudad del delta. Era una divinidad guerrera y también estaba asociada con el tejido. A partir del Imperio Antiguo, Neith tuvo una faceta funeraria al convertirse en una de las cuatro divinidades que vigilaban el sarcófago del asesinado Osiris.

Páginas anteriores: Muchas de las tumbas del Valle de las Reinas están escasamente decoradas o inacabadas. La de Nefertari constituye una excepción espectacular. En esta escena vívidamente representada, la diosa Isis, que luce la corona atribuida normalmente a la diosa Hathor, lleva a la reina de la mano.

Izquierda: Detalle de una pared pintada de la tumba de Amonherjepeshef, uno de los muchos hijos de Ramsés III. Muestra al propio Ramsés frente a la diosa Isis, que luce la corona asociada con la diosa Hathor. El hecho de que se represente al padre acompañando al hijo en el viaje hacia el mundo de los muertos para reunirse con las divinidades funerarias ha suscitado la hipótesis de que Amonherjepeshef debió de morir joven, posiblemente como consecuencia de alguna enfermedad congénita. Hathor se asociaba tanto con el amor como con la música, pero en el contexto funerario se la conocía como «la señora de occidente». Se creía que Hathor protegía al sol desde su desaparición en el horizonte hasta su resurgimiento a la mañana siguiente. El fallecido buscaba la misma protección en su viaje al mundo de los muertos y por eso Hathor ocupa un lugar destacado en las pinturas de las tumbas, recibiendo al difunto en el comienzo de su viaje hacia la vida eterna.

Página siguiente: Pared pintada con Anubis, de la tumba de Jaemwaset, hijo de Ramsés III, en el Valle de las Reinas. Las actas del proceso sobre el intento de asesinato de Ramsés III por una esposa secundaria y otros miembros de su harén refieren que se utilizaron muñecos de cera para dominar a los guardias. Muchas prácticas de ocultismo, como la del mal de ojo, hunden sus raíces en las supersticiones de los antiguos egipcios. La momia de Ramsés III se convirtió en una imagen cinematográfica para el género de terror. A algunos de los conspiradores se les consideró culpables de atentar contra el rey y fueron ejecutados, mientras que a otros de mayor rango se les permitió suicidarse, según la costumbre.

Arriba: Pintura de la tumba de Inherja, un maestro de obras que trabajó en la necrópolis del Valle de los Reyes durante los reinados de Ramsés III y Ramsés IV. De la semana de diez días los trabajadores pasaban ocho viviendo y trabajando en el lugar de las obras y los otros dos en sus casas familiares en Deir el-Medina. Los salarios se pagaban en forma de comida, combustible, vestimenta, cerámica y cosméticos. En una ocasión el retraso de los pagos provocó una huelga, el primer caso conocido de abandono de su tarea por parte de la mano de obra.

La ley y el orden

El concepto «maat», personificado en la diosa homónima, incluía según la filosofía de los antiguos egipcios las ideas de orden, verdad y justicia. El orden servía de contrapeso al temor que infundía el retorno del caos, el estado primigenio a partir del cual se creó la Tierra. Maat era el fundamento del cosmos y del mundo terrenal; su salvaguardia y defensa se consideraba la misión primordial del rey.

Aunque la función legislativa correspondía al soberano, éste no podía administrar por sí solo un estado de estructura tan compleja como el de Egipto. Por ello, delegaba en sus funcionarios la supervisión del cumplimiento y observancia de las leyes, promulgadas según el espíritu de maat. Los funcionarios debían ocuparse del mantenimiento de la ley y el orden.

Las simples disputas del pueblo se dirimían allí donde surgían por medio de las autoridades locales o de los administradores regionales. La vulneración de contratos civiles y, en especial, los delitos criminales se procesaban ante un tribunal. Los castigos consistían en azotes, confiscación de bienes y tierras, el corte de la nariz, trabajos forzados en las canteras y mutilaciones. Crímenes como el asesinato, la rebelión, la sedición o el perjurio se castigaban con la pena de muerte.

A la jurisprudencia se sumaron desde mediados del Imperio Nuevo los oráculos, en especial en Tebas. Si bien en la primera mitad del Imperio Nuevo las decisiones de los dioses se circunscribían a las más altas cuestiones de Estado, posteriormente abarcaron amplios sectores de la administración y de la vida cotidiana.

Las tumbas de los dignatarios

Durante el Imperio Nuevo los altos funcionarios
y los dignatarios disfrutaron, al igual que en épocas anteriores, del privilegio de ser sepultados en
las proximidades inmediatas al recinto funerario
del rey. De este modo surgieron varias necrópolis de funcionarios en las estribaciones montaño-
sas cercanas al Valle de los Reyes.

Según el rango del difunto, las tumbas iban
desde una sencilla cámara mortuoria hasta grandes complejos funerarios con varias cámaras, salas hipóstilas y patios interiores en distintos niveles. La arquitectura exterior constaba a menudo
de capillas, pequeñas pirámides de mampostería
o fachadas con hornacinas y estelas.

Las paredes interiores de estas tumbas se encuentran decoradas con relieves y pinturas que
representan la vida en la corte, con sus fiestas y
sus opíparos banquetes, pero también el cortejo
funerario con plañideras llorando junto a la momia del difunto. En las cámaras más profundas
de las sepulturas, imágenes de intenso colorido
dan una visión de la vida eterna. Las escenas cotidianas y de la agricultura en los campos del más
allá demuestran que la obtención de alimentos y
bienes para las necesidades diarias, tema omnipresente, eran tan importantes para la supervi-
vencia en el mundo de ultratumba como lo son
en el de los vivos.

*Derecha: Tumba de la XIX Dinastía en Deir el-Medina en la que
aparece Pashedu, uno de los trabajadores del Valle de los Reyes,
bebiendo de un estanque a la sombra de un palmera datilera.*

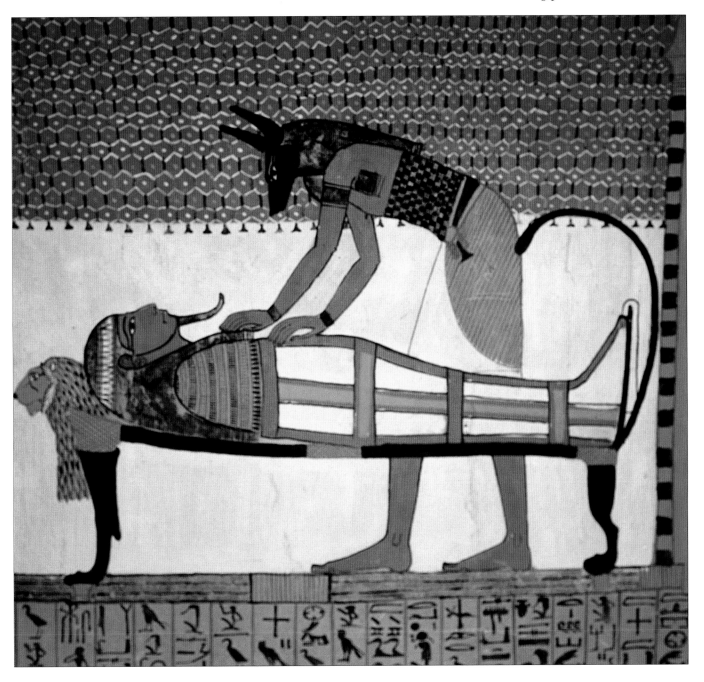

Página anterior: Detalle de la tumba de Sennedjem, de la XIX Dinastía, en Deir el-Medina, la villa de la orilla occidental de Tebas establecida durante el reinado de Tutmosis I para alojar a los trabajadores que construían el Valle de los Reyes. Tenían su propia necrópolis y la tumba de Sennedjem se considera una obra maestra en su género. En 1886 se descubrió esta sepultura perfectamente conservada en la que estaban enterrados muchos miembros de la familia de Sennedjem pertenecientes por lo menos a dos generaciones. No se sabe qué aportó Sennedjem al trabajo en las tumbas reales del Valle de los Reyes. Se cree que debió de disfrutar de un estatus elevado para merecer tan magnífica cámara de enterramiento. Él y su mujer, Iineferti, están representados rindiendo homenaje a los dioses del mundo de los muertos, incluidos Osiris y Horus.

Arriba: Anubis, el dios con cabeza de chacal del embalsamamiento y la momificación, deposita el cuerpo de Sennedjem en su sarcófago antropomorfo. En otra escena se representa a la momia de Sennedjem mientras es vivificada por el aire del batir de alas de un halcón hembra, tal y como Osiris fue parcialmente devuelto a la vida, según el mito.

Arriba: Pared pintada de la tumba de Inherja que muestra a las divinidades del mundo de los muertos Anubis y Osiris ante sendas mesas en las que se apilan ofrendas. En la tumba también está representado el demonio serpiente Apopi, del que los egipcios creían que acechaba cada noche para atacar al benefactor dios del Sol. Ra conseguía soslayar el peligro adoptando aspecto felino y decapitando a la serpiente con un cuchillo. Pero Apopi siempre revivía a tiempo para perpetrar un nuevo ataque de su inmutable ritual nocturno en el que el bien siempre triunfaba sobre el mal.

Página siguiente: Otra escena de la tumba de Inherja en Deir el-Medina. Inherja fue jefe de obras durante los reinados de los faraones de la XX Dinastía Ramsés III y Ramsés IV. Un sacerdote que lleva la máscara de Anubis ofrece un cuenco de agua a la momia, como parte del ritual de la abertura de la boca, con el que se pretendía devolver los sentidos al difunto como preparación para la vida de ultratumba.

Arriba: *Pared pintada de la tumba del funcionario Neba-*
món, de la XVIII Dinastía. En esta escena el ganado des-
fila delante del propietario de la sepultura, mientras en
otro lugar se cuentan gansos para contabilizar la rique-
za de Nebamón. Se recurría deliberadamente a imágenes
de opulencia y lujo para crear un mundo perfecto en el
que el difunto pudiera disfrutar de la vida de ultratumba.

Izquierda y página siguiente: *Escena de un banquete en*
la capilla funeraria de Nebamón. Los músicos, que lu-
cían togas plisadas, pelucas con flores de loto y conos
perfumados en sus cabezas, interpretaban la música.
Uno toca la flauta doble mientras el otro palmea un
acompañamiento rítmico. Las canciones están escritas
sobre ellos. El entretenimiento se completaba con bailari-
nas que actuaban delante de los invitados reunidos.

Página siguiente: *Detalle de la escena del banquete de la*
tumba de Nebamón, en la que uno de los invitados acer-
ca flores de loto a la nariz de otro invitado. El loto era un
importante símbolo de regeneración y, por tanto, resulta-
ba sumamente apropiado como imagen funeraria. De
acuerdo con uno de los mitos de la creación, el sol nacien-
te emergía de una flor de loto que flotaba en las caóticas
aguas de Nun. Este mito lo inspiró probablemente el
hecho de que el loto creciera en abundancia a orillas del
Nilo. Además, abría y cerraba sus pétalos al amanecer y
al atardecer, imitando el patrón diurno del sol.

El vestido y la moda

El material más empleado para hacer vestidos era el lino, hilado y tejido a partir de la fibra natural. La técnica del tejido puede retrotraerse hasta el Neolítico. Una de las telas más antiguas que se han conservado se encontró en al-Fayum y está tejida de un modo basto y con la urdimbre poco apretada. Todas las clases sociales se vestían con lino, pero había diferencias de calidad. La mejor se conseguía a partir de plantas jóvenes que permitían un hilado fino. Además del lino, también se conocía la lana, pero su uso estaba mucho menos extendido.

Tal como puede verse en las estatuas y los relieves, durante el Imperio Antiguo y el Imperio Medio los hombres vestían sencillas faldas que les llegaban hasta la rodilla o hasta la pantorrilla, y las mujeres llevaban vestidos de tirantes muy ceñidos hasta los tobillos. En el Imperio Nuevo surgió una nueva moda: los hombre vestían faldas amplias y plisadas y las mujeres trajes envolventes holgados y con pliegues, formados por una pieza de tela rectangular, ceñidos al cuerpo de manera diferente y anudados con una echarpe. Junto a los tejidos muy claros, palidecidos al sol, los de colores vivos también gozaban de gran aceptación. Para conseguir la coloración azul se empleaba tinte de sauce, para la roja raíz y hojas de alheña, y para la amarilla la corteza del granado.

En los actos oficiales, tanto los hombres como las mujeres se tocaban con voluminosas pelucas, cuyos cabellos estaban anudados en capas de lino. El cabello propio se llevaba muy corto o afeitado. El calzado consistía en sandalias trenzadas que se hacían con hojas de palmera, juncos, hierbas o papiros. Además, había zapatos de cuero, mucho más caros pero también notablemente más duraderos. El vestido se complementaba con joyas: collares en el cuello, brazaletes en brazos y piernas, aros en las orejas y anillos en los dedos. En la mayoría de los casos las joyas desempeñaban la función de amuletos destinados a proteger a su portador frente a enfermedades y demonios.

Derecha: Escena pintada de la tumba de Najt con mujeres que participan en una fiesta. Najt estuvo al frente de los graneros y viñedos reales durante el reinado de Tutmosis IV

Pesos y medidas

Los antiguos egipcios empleaban un sistema decimal con unidades, decenas y múltiplos de decena. Las unidades se escribían mediante rayas que, por ejemplo para el número ocho, se repetían ocho veces. Para las cifras de 10 y 100, e incluso para la de un millón, existían los respectivos signos en los que el último número expresaba un valor de múltiplo absoluto, en lugar del correspondiente a un valor matemático exacto.

Las magnitudes empleadas para medir longitudes se basaban en medidas normalizadas de las partes del cuerpo. La unidad básica era el codo, que equivalía a 52,4 centímetros y se dividía en siete anchos de mano, y éstas a su vez en cuatro dedos. En las transacciones comerciales se utilizaban varas de medir normalizadas, y para distancias mayores, cuerdas.

El codo era también la unidad básica para medir superficies: 10.000 codos cuadrados equivalían a un arure y 100 arures a 27.567 metros cuadrados, es decir, a 2,75 hectáreas. Hasta el Imperio Medio los pesos se indicaban en deben de cobre o de oro, que correspondían a 27,3 gramos o a 13,6 gramos. En el Imperio Nuevo una deben equivalía a 91 gramos, divididos en 10 qedet.

Las mediciones de áridos, que se utilizaban para el grano, las especias o el oro, se expresaban en hinus (0,48 litros); 10 hinus constituían un heqat (4,8 litros) y 10 heqat equivalían a un char (saco) de 48 litros.

Página anterior: Detalle de una pared pintada de la tumba de Panejemen en la que aparecen trabajadores del metal pesando el oro en balanzas. Las personas acaudaladas eran sepultadas con los frutos de su éxito en la vida mortal, pero el sustento era fundamental. Éste debían proporcionarlo los familiares y amigos, pero se sospecha que esta práctica se restringió en algún momento. Los poderes mágicos de las imágenes pintadas o de los modelos de comida depositados en la tumba sustituyeron a las ofrendas de bienes auténticos.

Derecha: Fragmento de un relieve de una tumba de la XIX Dinastía que representa a un carpintero en pleno trabajo con una azuela. Se recurría a escenas del trabajo y el ocio diarios para crear un mundo terrenal perfecto, destinado a reproducirse en la vida eterna. El aspecto desaliñado de este trabajador desentona de la iconografía habitual de las tumbas.

Abajo: Pintura en piedra caliza que representa una escena de una fábula: un felino que sujeta un cayado de pastor guarda un nido de gansos y sus huevos. Los felinos se apreciaban como animales domésticos y también por su asociación con las divinidades, en particular con Bastet y Ra. Durante el Imperio Medio los felinos aparecen con regularidad en las pinturas de las paredes de las tumbas privadas, a menudo en escenas de caza con sus amos. El felino alcanzó su apoteosis durante el Imperio Nuevo, y a raíz de ello, se momificaron y enterraron en gran número en cementerios reservados a ellos, sobre todo en Bubastis, el centro de culto a Bastet.

Arriba: Escena de la tumba de Userhet, escriba real de Amenofis II. El registro superior muestra a un oficial dirigiendo a los nuevos reclutas. En el registro medio, algunos de los reclutas están representados con el pelo cortado. Durante el Período Dinástico el afeitado empezó a ser cada vez más popular entre las clases altas de la sociedad egipcia y el vello facial comenzó a considerarse una señal de estatus inferior. Sin embargo, la barba estaba asociada con las divinidades y aparece en imágenes funerarias tanto de personajes reales como no reales. Al faraón se le representaba invariablemente con una barba falsa, lo que establecía su condición de dios viviente, mientras que en las tumbas particulares los difuntos suelen llevar una barba corta.

Páginas posteriores: Detalle de una pared pintada de la tumba de Sennedjem en Deir el-Medina. El propietario de la sepultura y su mujer están arando el Campo de Juncos. Se trata de una imagen simbólica y no se cree que comporte la implicación de Sennedjem en trabajos agrícolas a lo largo de su vida. El campo en cuestión era el domino de Osiris, rey del Inframundo, y atravesarlo constituía una metáfora de la transición entre la vida y la muerte.

Página siguiente: Detalle de la pared pintada de la tumba de Rejmire, visir de dos de los faraones de la XVIII Dinastía, Tutmosis III y Amenofis II. Las escenas de la sepultura muestran a numerosos artesanos trabajando en proyectos de Estado, cuya supervisión debió de estar a cargo de Rejmire. Esta escena representa las diversas etapas del proceso de fabricación de ladrillos a partir del barro.

Núcleos de población

En contraposición a los templos y las tumbas de piedra, concebidos para la eternidad, las viviendas se construían con materiales mucho menos duraderos, como los adobes hechos con el barro del Nilo. Para los techos de la casas se empleaban ramas de palmera.

Los núcleos de población se establecían libremente allí donde los hombres encontraban trabajo, por ejemplo en los lugares donde se ejercía el comercio. En muchos otros casos los asentamientos respondían a la planificación estatal, como ocurrió con las ciudades de las pirámides, en las que se alojaban no sólo los obreros y artesanos que participaban en la obra, sino también los funcionarios de la administración necesarios para su organización y buen desarrollo, así como los sacerdotes.

El tamaño y la disposición de las casas y de las construcciones anejas destinadas a las provisiones se correspondían con el estatus de sus habitantes; los modelos arquitectónicos abarcan desde las pequeñas viviendas de apenas 40 metros cuadrados que alojaban a las familias de los obreros en las ciudades dormitorio, hasta las amplias y lujosas villas de las elites.

La presencia de funcionarios de alto rango determinaba la existencia de casas con dormitorios en un ala posterior y espaciosas estancias centrales. A ello se añadía una cocina separada y con un hogar cerrado, así como instalaciones sanitarias como excusado y sala de baño. Los aposentos principales estaban provistos de esteras en el suelo y de colgaduras de lino de alegres colores en las paredes. El mobiliario (camas, sillas, mesas, etc.) era por lo general de madera y materiales trenzados. Para las sillas y las camas había acolchados y rellenos blandos. Las camas se colocaban sobre altas tarimas como protección ante los reptiles, y los vestidos se guardaban dentro de cestas o de alacenas.

Arriba: Viñeta del Libro de los Muertos en la que Najt, escriba y astrónomo de la XVIII Dinastía, espera con su esposa Tawi la sentencia de Osiris, al que no se ve en la escena. Las brillantes y vívidas imágenes de Najt trabajando y disfrutando del ocio hacen de su tumba una de las más hermosas del Valle de los Nobles de Tebas.

Derecha: Viñeta del Libro de los Muertos que muestra al fallecido y a su esposa rezando. El primer día del mes debía recitarse un conjuro a la luna creciente. El Libro de los Muertos, introducido a comienzos del Imperio Nuevo, contenía 200 conjuros, derivados muchos de ellos de los Textos de la Pirámides y de los Textos de los Sarcófagos. A diferencia de los textos funerarios anteriores, que eran del dominio exclusivo de la realeza y de los acaudalados, el Libro de los Muertos estaba al alcance de todo aquel que pudiera permitirse una copia en papiro. Algunos de los conjuros se presentaban en texto jeroglífico o en sus derivados en cursiva, mientras que otros estaban ilustrados en forma de viñetas. El Libro de los Muertos se colocaba dentro del sarcófago o en el interior de la envoltura del cuerpo momificado.

Página siguiente: En otra viñeta del Libro de los Muertos, el difunto ante Anubis, el dios de la momificación. Además de los conjuros grabados en los papiros, había otros inscritos en amuletos o en las figuras shabti *depositadas en la tumba.*

El papiro

En tiempos de los faraones el papiro crecía con exuberante abundancia en las orillas del Nilo, en especial en el delta, y por ello era la planta que aparecía en el escudo del Bajo Egipto; su equivalente en el Alto Egipto era el loto. Ambas plantas entrelazadas constituían el símbolo heráldico de la unión del Alto y el Bajo Egipto. Las umbelas de papiro y los capiteles en forma de flor de loto aparecen en la arquitectura y en la decoración de muebles.

Sin embargo, el valor del papiro no era tan sólo simbólico. Los relieves y las pinturas murales con representaciones paisajísticas muestran que las espesuras de papiro constituían el hábitat de numerosas aves y peces, y que por ende eran la zona preferida por el rey y su séquito para la caza y el ocio. La propia planta del papiro tenía múltiples usos. Se aprovechaban sus propiedades curativas, se utilizaba como alimento y con los tallos se construían botes y se manufacturaban cestos, esteras, sandalias y cuerdas.

En un momento dado, el papiro cobró especial importancia por su utilidad para la escritura. Se cortaban los rizomas en finas láminas longitudinales que se superponían formando dos capas, la superior colocada transversalmente sobre la inferior. Mediante el golpeteo y el prensado se conseguía que la savia, de alto contenido en almidón, se repartiera entre las láminas superpuestas pegándolas fuertemente entre sí. Después del secado, la hoja así obtenida se alisaba y se cortaban sus cantos para darle una forma regular. Uniendo piezas individuales de unos 50 centímetros se obtenían hojas de hasta 41 metros de longitud, aptas para escribir sobre ellas y que podían enrollarse para ser archivadas. Para la escritura sobre papiro se empleaban pinceles con filamentos de junco y tinta china negra o roja.

Página anterior: Detalle de un texto funerario en el que la reina del cielo Nut despliega sus alas sobre el difunto. Nut aparecía con frecuencia en la iconografía funeraria porque se creía que se tragaba el sol cada atardecer y le daba nacimiento al amanecer. También aparece Anubis, el dios con cabeza de chacal, que era el guardián de la necrópolis y el dios de la momificación. Arrodilladas debajo de Anubis se encuentran las diosas hermanas Isis y Neftis, que ofrecen protección al difunto y están presentes en las escenas del juicio del Libro de los Muertos.

Arriba: Máscara de una momia de la XVIII Dinastía. En cuanto se empezó a practicar la escultura en el Imperio Antiguo, se depositaron cabezas de piedra caliza en las cámaras de enterramiento para que pudieran ser animadas en la vida de ultratumba y también, posiblemente, con el fin de que el espíritu que retornaba identificara su forma corpórea. Las máscaras funerarias tenían la misma finalidad. Primero se hacía un molde de escayola con los rasgos del difunto. En el Primer Período Intermedio se usaba cartón piedra: tiras de lino reforzadas con escayola. Durante el Imperio Nuevo la costumbre alcanzó su máximo refinamiento con las máscaras funerarias de oro puro del estilo de la hallada sobre la momia de Tutankamón.

Artesanía y técnica

En todos los períodos del Antiguo Egipto, los artesanos que gozaban de una destreza sobresaliente tenían la posibilidad de alcanzar una alta estima en la sociedad; su arte era muy apreciado por todo el mundo y su labor estaba bien remunerada. Algunos de ellos consiguieron el favor del rey y el privilegio de prepararse una tumba ricamente equipada para su vida eterna en el más allá.

Los artesanos, indistintamente si eran picapedreros, escultores, carpinteros, alfareros, joyeros, orfebres o si trabajaban el vidrio o la loza, recibían una buena formación profesional y estaban organizados jerárquicamente. Ello permitía una producción racionalizada en los talleres estatales; no había artesanos autónomos y la obtención de las materias primas necesarias también dependía de la administración del Estado. Los talleres estaban vinculados generalmente a los templos, a la casa real o a las casas de los altos dignatarios.

El país del Nilo era rico en distintas clases de piedra que, según su resistencia y durabilidad, se empleaban en la construcción de tumbas, templos, obeliscos, sarcófagos, estatuas u objetos funerarios. Además de la piedra caliza, fácil de trabajar con herramientas de madera o de cobre, se usaban otras piedras de mayor dureza, como el granito, que requerían técnicas especiales y herramientas de piedra como la dolerita. En general, los bloques se cincelaban en bruto directamente en las canteras.

La madera escaseaba y por ello se importaba la necesaria para la arquitectura, los ataúdes y la construcción de embarcaciones. Era muy apreciada por sus múltiples usos la proveniente de las coníferas del actual Líbano. Las especies maderables autóctonas

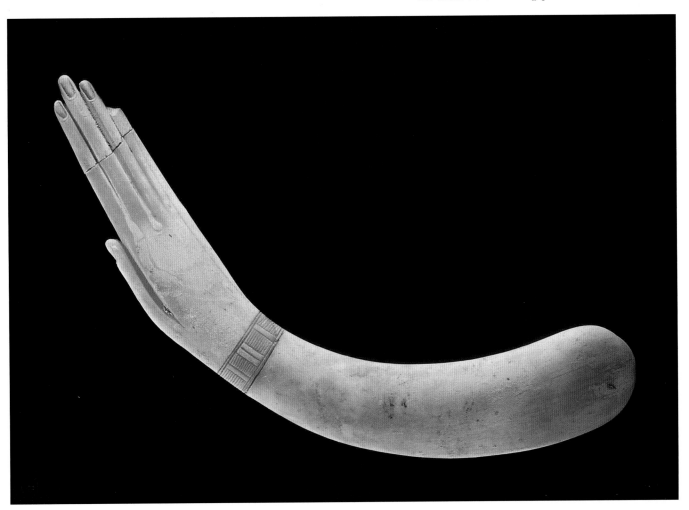

eran la acacia, el sicomoro, el tamarindo y la persea. El oro y el cobre se contaban entre los metales más importantes. Ya en el Período Predinástico se explotaron las minas de oro del desierto oriental egipcio, y a partir del Imperio Medio, las del norte de Nubia. Las principales aplicaciones del oro eran la joyería y los adornos de los objetos de culto y de las ofrendas funerarias. Herramientas, recipientes y armas se hacían sobre todo de cobre, cuyas minas más importantes se explotaban en el Sinaí y más tarde en Israel. El metal debía extraerse del mineral por medio de un proceso especial de fusión. Con el desarrollo de las primeras técnicas de fundición en el Período Predinástico se logró una producción a gran escala.

Los objetos de uso corriente –como la vajilla, las vasijas para las provisiones y las lámparas de aceite–, así como las creaciones de las artes menores, se hacían con arcilla, cuya calidad dependía de su plasticidad. Los primeros tornos de alfarero se crearon durante el Imperio Antiguo.

Los talleres de loza manufacturaban azulejos, amuletos y recipientes, con una mezcla de arena, piedra caliza y sosa. Sus vidriados azules y verdes imitaban las piedras preciosas y eran muy apreciados; los objetos egipcios de loza constituían artículos de exportación sumamente valorados en todo el Mediterráneo.

Los joyeros trabajaban los metales, entre ellos el oro, importaban plata y cobre, y montaban piedras preciosas como lapislázuli, turquesas y amatistas, además de cristal de roca, vidrio y loza. Mediante distintas técnicas como el *cloisonné* y el *champlevé,* hacían amuletos y joyas. La belleza y perfección de estos objetos de valor causan sorpresa y admiración a quien los contempla incluso en nuestros días.

Páginas anteriores (izquierda): Jarra de vidrio para ungüento o cosméticos que data del período de Amarna, de la XVIII Dinastía. La fabricación de vidrio no comenzó en Egipto hasta el Imperio Medio. Las primeras piezas se hacían con materia prima importada o con descartes del material llamado cullet. La tecnología de fabricación de vidrio a partir de silicatos llegó mucho más tarde. La introdujeron artesanos de otras tierras donde ya se había desarrollado. Esta transmisión de habilidades se producía tanto por medio de la inmigración como de las conquistas.

Páginas anteriores (derecha): Maraca de marfil con forma de mano. Las maracas, de marfil, madera o hueso, se usaban para acompasar tanto el trabajo como el entretenimiento. Este instrumento musical, que data del Período Predinástico, es el más antiguo de Egipto. Las maracas formaban parte del grupo de instrumentos de percusión llamados idiófonos, particularmente asociados con los ritos religiosos. Las campanas, los platillos y el sistro –un tipo de sonaja– pertenecían también a este grupo. Los músicos que actuaban delante de las estatuas de culto de los dioses no podían mirar estas figuras sagradas. Probablemente por esta razón se elegían músicos ciegos. Esta teoría viene respaldada por muchas pinturas de las tumbas.

Izquierda: Collar con forma de buitre. Debido a su gran envergadura, esta ave se asociaba más con la protección que con la depredación.

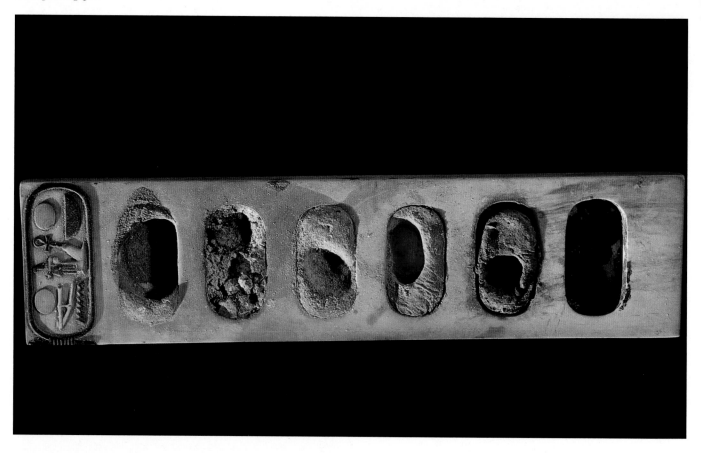

Arriba: Paleta de marfil de la XVIII Dinastía que contiene seis bloques de pigmento. El cartucho indica que data del reinado de Amenofis III. Las paletas de piedra para moler el pigmento que se usaba como pintura de ojos datan del Período Predinástico y las empleaban ambos sexos. La pintura de ojos no sólo servía para mejorar la apariencia sino que también tenía la finalidad de proteger los ojos de las partículas de arena y del resplandor del sol. Debió de ser asimismo un elemento de simbolismo religioso.

Izquierda: Recipiente de madera con compartimentos para pomadas grabados individualmente, que data de la XVIII Dinastía.

Página Siguiente: Cuchara para cosméticos con la forma de una joven que lleva un ánfora sobre sus hombros. Los artículos del equipamiento cosmético y las jarras en las que se decantaban los cosméticos solían ser de gran belleza, gracias a la combinación de forma y función, como en la moderna industria de tratamientos de belleza. Los cosméticos y los espejos se cuentan también entre los objetos funerarios, lo cual indica que el embellecimiento se consideraba muy importante en la vida de ultratumba.

La apariencia exterior

La higiene y los cuidados corporales tenían una gran importancia para los antiguos egipcios. Eran parte integrante de estas prácticas el baño diario en el Nilo o en el cuarto de baño propio según el estatus social, la manicura, la pedicura y, en los hombres, el afeitado de la barba. Tanto las mujeres como los hombres se maquillaban, se perfumaban y llevaban peluca. Se resaltaban el contorno de los ojos con un afeite hecho con una mezcla de malaquita pulverizada y grasa que, además, los protegía de las moscas. En los últimos tiempos se empleaba un lápiz de ojos negro de galena y grasa.

La moda de las pelucas no respondía sólo a la expresión del estatus social, sino que constituía también una protección contra los piojos. Para asistir a las fiestas, los egipcios ungían las pelucas con perfumadas pomadas de grasa animal que, al fundirse, liberaban un olor embriagador. Para el cuidado del cutis se empleaban pomadas de resinas y aceites aromáticos.

Las personas acomodadas controlaban su maquillaje con pequeños espejos de bronce pulido o de plata. Los soportes solían estar decorados con motivos de Hathor, diosa del amor y de las fiestas.

Los cosméticos y los espejos eran ofrendas tradicionales que acompañaban a los fallecidos en su tumba, lo que constituye una muestra de que su uso en el más allá se consideraba tan importante, necesario y placentero como en el mundo de los vivos.

Página Anterior: Escultura de la XVIII Dinastía que representa a Isis amamantando a Horus niño. Está hecha de azul egipcio, material semejante al cristal. La técnica del soplado de vidrio no llegó a Egipto hasta la época de la ocupación romana. Hasta entonces, las piezas de vidrio se hacían tanto en moldes como con la técnica de la formación alrededor de un núcleo. Esta última implicaba hacer un molde con la forma interior de una vasija, que luego se introducía en cristal fundido o bien se recubría con material fundido vertido sobre él.

Izquierda: Esta caja finamente decorada, fechada en la XVIII Dinastía, se usaba como aparador para jarras de cosméticos y fragancias.

Derecha: Cofre con paneles de marfil, datado en el reinado de Ramsés IX. Se encontró en la necrópolis tebana de Deir el-Bahari, entre los numerosos objetos trasladados desde el Valle de los Reyes por el sacerdote de Amón de la XXI Dinastía para protegerlos de los saqueadores de tumbas. Los tesoros ocultos incluyen alrededor de cuarenta momias reales, entre ellas las de Tutmosis I, II y III, y Ramsés II, III y IV. Fueron descubiertos por casualidad en 1871 por un aldeano que acudió a rescatar a una cabra que había caído a un pozo. Se dio cuenta de que había tropezado con un tesoro y trató de vender su contenido en el mercado de antigüedades. En 1881 el egiptólogo francés Gaston Maspero excavó la tumba de manera exhaustiva.

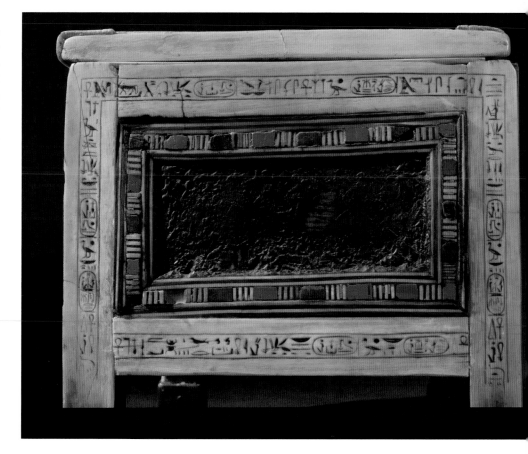

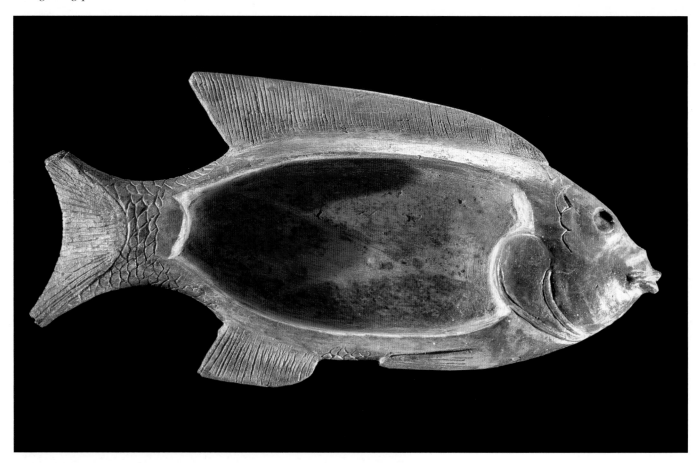

Arriba: Platillo para cosméticos con forma de pez, empleado probablemente para rituales funerarios de unción. Los egipcios tenían sentimientos ambivalentes en cuanto a los peces. Algunos se consideraban sagrados, por ejemplo la perca del Nilo, que se asociaba con la diosa Neith. También guardaban relación con la malevolencia, pues el miembro de Osiris se lo comió un pez después de que el rey fuera descuartizado por el malvado Seth. Los faraones y el clero no comían pescado por esta razón. Otras clases sociales sí lo comían como alternativa barata a la carne.

Izquierda: Cuchara de cosméticos en forma de una mano que sujeta una concha.

Página siguiente arriba: Tablero y piezas para jugar tanto a senet como a los «veinte cuadros». El primero era un juego muy popular en el que dos rivales competían por mover sus piezas alrededor del tablero. Los movimientos venían determinados por tiradas de dados, igual que en nuestros días. Algunos cuadrados representaban bienes o fortuna. El senet tenía un significado simbólico, pero los motivos de su inclusión en el ajuar funerario son pura especulación.

Deportes y diversiones

Además del valor y el denuedo, entre las virtudes del rey se incluían la fortaleza corporal y la forma física. En su calidad de garante del maat, de la justicia y del orden, el rey debía mostrar una fortaleza física sobresaliente. Debía ser eternamente invencible para hacer frente a los peligros y conjurar siempre el caos. En este contexto hay que situar los deportes que practicaba el rey, relacionados por lo general con las actividades bélicas, como la caza mayor en el Imperio Medio o el tiro al blanco con arco desde un carro de guerra en el Imperio Nuevo. El deporte y la diversión iban estrechamente unidos en las expediciones de caza en las que participaba el rey.

Si bien el monarca por su dignidad real sólo podía practicar unas pocas disciplinas deportivas, los particulares podían participar en numerosas variedades distintas: carreras, saltos, deportes acuáticos como natación y remo, modalidades de combate, entre ellas lucha y esgrima, así como juegos de pelota que se disputaban con bolas rellenas de paja o de junco. La diversidad de las disciplinas posibles demuestra la alta posición que correspondía al deporte en el ocio de los antiguos egipcios.

Además de los deportes, que requerían esfuerzo físico, los juegos que exigían esfuerzo mental eran muy apreciados también por todas las clases sociales. El más conocido es un juego de tablero, el senet, en el que los participantes debían intentar cruzar con varias fichas un campo de 20 o 30 casillas, evitando caer en las casillas peligrosas.

Los niños tenían sus propios juegos. Entre los que se practicaban en grupo había juegos de equilibrio como el del círculo, en el que un niño tomaba de las manos a otros dos y los hacía girar a su alrededor mientras él mismo se movía en círculos. Había asimismo pruebas de fuerza, como la consistente en tirar de la cuerda, y otras de habilidad, como las de aro y las de lanzamiento. También se han conservado juguetes, como por ejemplo muñecas y figuras talladas de animales.

CAPÍTULO QUINTO

Decadencia y ocaso hacia 1069 a.C.–641 d.C.

El Tercer Período Intermedio, que comprende de la XXI a la XXIV Dinastías, estuvo marcado en el norte y en el sur del país por la inestabilidad política, la desmembración territorial y los golpes de estado militares. Smendes, el fundador de la XXI Dinastía, trasladó la capital de Pi-Ramsés a la cercana Tanis, adonde hizo transportar también numerosos monumentos.

Desde Tebas, los sumos sacerdotes del estado teocrático de Amón controlaban extensas zonas del país, pero reconocían la supremacía formal del faraón en el norte. Como contrapartida, éste renunciaba a su influencia directa en el sur. Las dos casas reinantes estaban unidas entre sí, incluso a nivel dinástico, por una política de enlaces matrimoniales.

Schoshenq I

El fundador de la XXII Dinastía, Shoshenq I (conocido también como Sesonji), estaba directamente emparentado con un rey de la XXI Dinastía y tenía ascendientes libios. Demostró ser un hábil político. Mantuvo Tanis como capital del reino, pero Bubastis, situada en el sudeste del delta, cobró importancia como centro del culto a Bastet, la diosa con forma de gato. Shoshenq introdujo a su hijo Iupet entre los sumos sacerdotes de Tebas y puso a servidores leales de su confianza en otros importantes cargos. De este modo consiguió una posición de poder en el estado teocrático del Alto Egipto. Florecieron el comercio y la economía, y en el terreno militar el faraón logró un

Página anterior: Máscara funeraria de oro del rey Psusennes I, de la XXI Dinastía. Su tumba fue una de las muchas que se desenterraron en 1939 en la ciudad de Tanis, en el delta, necrópolis de numerosos soberanos del Tercer Período Intermedio.

éxito importante. Cercó y asedió Jerusalén, y recibió los tesoros del palacio y del templo a cambio de que respetara la ciudad. El botín de guerra le permitió llevar a cabo imponentes construcciones, entre ellas la llamada puerta de Bubastis, en la que hizo representar su triunfo, así como un gran recinto en el templo de Karnak.

El esfuerzo de Shoshenq por conseguir la unidad del país no estaba llamado a constituir un éxito duradero, puesto que en el transcurso de la siguiente dinastía Egipto se fragmentó de nuevo en pequeños reinos locales. El príncipe de Sais, Tefnajt, tuvo una gran influencia, pero en el sur surgió un nuevo reto, el reino de Kush. El primer monarca de este reino, Piye, emprendió una campaña militar para conquistar Egipto y logró ocupar el trono como legítimo faraón. En Gebel Barkal, un santuario en la roca de Napata, Pije hizo inmortalizar su victoria sobre Tefnajt, quien le prestó juramento de fidelidad en Sais. El nuevo soberano estableció guarniciones militares en todo Egipto y situó a su hija Amenirdis en Tebas como esposa del dios Amón. A partir de la XXI Dinastía la influencia de las esposas de Amón se había incrementado ininterrumpidamente, y Piye y sus sucesores controlaron este poderoso estamento tebano. Tefnajt, que se mantenía en Sais, logró dominar de nuevo el delta como faraón y fundar la XXIV Dinastía.

Los asirios

Sabacón, hermano y sucesor de Piye, emprendió probablemente una expedición militar contra el Bajo Egipto, obligado por la política de expansión de Bocjoris, el heredero de Tefnajt. A diferencia de su hermano, Sabacón pudo afianzar con carácter duradero su control sobre el Bajo Egipto y fue el primer monar-

Arriba: Fragmento de cristal que representa dos medias caras del dios enano Bes. Su grotesca apariencia no se corresponde con el papel benigno que se le atribuía como protector de la familia.

En los años siguientes el ejército asirio penetró hasta Tebas, y saqueó la ciudad y sus templos. Según fuentes asirias, un obelisco entero formó parte del botín de guerra. Tantamani, el último rey kushita, que subió al trono en el año 664 a.C., logró reconquistar Menfis y el Bajo Egipto, pero poco después Asurbanipal, el sucesor de Asaradón en el trono, derrotó al ejército kushita, que se retiró a Tebas. Psamético I, en su condición de príncipe sucesor de Neco, fue vasallo de los asirios.

Psamético I

A medida que el poder del Imperio de Babilonia iba en aumento, se incrementaba la presión sobre el territorio patrio de los asirios. Por ello, éstos retiraron las guarniciones de Egipto y dejaron que el país se administrara por sí mismo. Psamético I aprovechó el vacío de poder en su favor y fundó la XXVI Dinastía con sede en Sais. Para asegurar su posición formó un ejército con mercenarios jonios y carios, con el que pronto dominó todo el delta. Los soberanos del Egipto Medio intentaron cubrirse las espaldas por medio de una política de matrimonios con la dinastía de Sais. Finalmente Psamético avanzó con sus nuevos aliados hasta Tebas, donde en el noveno año de su reinado se hizo con el poder al situar a su hija Nitocris como esposa de Amón. Mientras los asirios se ocupaban de resolver sus propios problemas, Psamético se afianzó en Egipto y fortificó la frontera occidental para prevenir ataques procedentes de Libia.

El arte y los monumentos de esta época no presentan innovaciones significativas, antes al contrario, reflejan un regreso a los modelos antiguos. Se intentaba enlazar así con el glorioso pasado del país.

Aprovechando el ocaso del Imperio asirio, Neco II, hijo y sucesor de Psamético I, intentó asegurarse la zona intermedia entre el Imperio babilonio y Egipto a través de campañas militares en Palestina, pero en el año 605 a.C. Nabucodonosor desbarató el proyecto egipcio en Karkemish. Cuatro años después se produjo un ataque directo de Babilonia sobre Egipto que Neco II rechazó con éxito en el delta oriental.

Psamético II, sucesor de Neco, evitó los enfrentamientos directos con Babilonia, pero tuvo que hacer frente a los disturbios que se produjeron en Nubia. Dada la situación en política exterior, Psamético II forzó la creación de un ejército regular permanente y de una flota del

ca kushita que reinó desde Tebas sobre todo Egipto. Estos reyes procedentes del sur estuvieron tradicionalmente muy vinculados al culto del dios Amón y ampliaron su templo en Karnak.

Entretanto, la situación en Oriente Medio había cambiado de manera dramática. Asiria, la nueva gran potencia, había sometido a los príncipes de Siria y Palestina y amenazaba el territorio del delta del Nilo. Sabacón y sus sucesores intentaron intervenir, tímidamente al principio y de una manera más activa después, en las disensiones internas asirias para hacer frente a la amenaza de la gran potencia. En el año 701 a.C. el rey asirio Senaquerib avanzó sobre Palestina y derrotó al ejército de Shebitku, sobrino y sucesor de Sabacón. De momento, los asirios no atacaron Egipto, se conformaron con sus nuevos vasallos en Siria y Palestina.

Con todo, la tensión se mantuvo y en el año 671 a.C., bajo el mando del rey Asaradón, Asiria emprendió un ataque sobre el país del Nilo. El delta fue ocupado y Menfis, la antigua capital, cayó también en manos de los invasores. Entonces, Neco, príncipe de Sais, pasó a ser vasallo de los asirios.

Mediterráneo. Su actuación en política interior determinó en gran medida que se borrara la memoria de los soberanos kushitas.

Apries, el cuarto monarca de la XXVI Dinastía, buscó la confrontación directa con Nabucodonosor, que había invadido Palestina y tenía sitiada Jerusalén. El monarca egipcio envió un ejército a Palestina y ordenó que la flota egipcia atacara las ciudades fenicias de la costa. Al no poder evitar la caída de Jerusalén, mandó a sus tropas retirarse y regresar a Egipto. Dio asilo en Elefantina, una isla del Nilo, a los fugitivos judíos que se habían librado de ir cautivos a Babilonia.

Amasis

En el año 570 a.C. Apries intervino de nuevo en un conflicto armado que en este caso habría de resultarle funesto. El príncipe libio Adicran pidió apoyo militar frente a la colonia griega de Cirene. Apries envió tropas que fueron vencidas en su combate contra las de Cirene. El ejército egipcio, del que formaban parte muchos mercenarios griegos, se amotinó y proclamó rey al general Amasis, enviado con la misión de poner fin a las hostilidades. En los alrededores de Menfis se produjo un encuentro en el que cayó Apries. Amasis ocupó el trono e hizo sepultar a su predecesor con todos los honores de su rango a fin de reforzar su propia legitimidad.

Según la tradición, Amasis debió de ser un soberano inteligente, amistoso con los griegos y aficionado a beber en exceso. El faraón logró granjearse en gran medida el afecto de su pueblo. Desarrolló una política de integración de los extranjeros, en especial de las tropas mercenarias griegas, y contrajo matrimonio con una griega de Cirene. La colonia griega de Naucratis recibió privilegios que le permitieron alcanzar una posición de monopolio comercial. Como promotor del «Renacimiento de Sais», hizo reunir todos los escritos antiguos y copiar los relieves de épocas pasadas. La escritura demótica, una versión muy abreviada de la escritura jeroglífica, pasó a ser la escritura oficial.

Los persas

El hijo de Amasis, Psamético III, subió al trono en el año 526 a.C., pero su reinado duró poco tiempo. Apenas un año después tuvo que hacer frente a un poderoso enemigo: Persia, la nueva gran potencia. Al mando del gran rey Cambises, el ejército persa embarcó con una gran flota y

Izquierda: Jeroglíficos decorativos del Libro de los Muertos del sarcófago de Petosiris, sacerdote supremo de Thot en el período Ptolemaico temprano. El Libro de los Muertos estaba integrado por doscientos hechizos cuya función era asistir al difunto en su viaje a la vida de ultratumba.

remontó el Pelusíaco, un brazo del Nilo. Tras el desmantelamiento de sus puntos de defensa, el ejército egipcio sucumbió en la batalla de Pelusio. Cambises avanzó sobre Menfis, tomó la ciudad y se hizo coronar faraón en Sais. Psamético III, tras intentar un alzamiento, fue ejecutado.

Con Cambises I, el primer rey de la XXVII Dinastía, se inició el primer dominio persa sobre Egipto, que se prolongó a lo largo de 120 años. En los inicios de su dominación los persas reprimieron con dureza cualquier intento de oposición, pero Darío I, el sucesor de Cambises, quiso conseguir la aceptación de los egipcios. Construyó en el oasis de Charga el famoso templo de Ibis y otro santuario en Qasr-Ghouita. Impulsó también la ejecución de proyectos de riego cuyos rendimientos habrían de beneficiar a Persia. Por voluntad del soberano, una comisión trabajó durante 16 años en la codificación del sistema jurídico egipcio. El país disfrutó de un largo período de estabilidad, hasta que en el año 490 a.C. el Imperio persa sufrió una humillante derrota militar frente a los griegos en la batalla de Maratón. A raíz de ello, tanto Babilonia como Egipto renovaron su esperanza de lograr la independencia y surgieron revueltas contra los persas.

Abajo: Fragmentos de cristal del Período Greco-Romano, cuando se introdujo en Egipto el soplado del vidrio. Estas piezas se encontraron en Alejandría, centro principal del trabajo del vidrio en esta época.

En el año 486 a.C. Jerjes sucedió a Darío en el trono de Persia y ordenó reprimir sin piedad cualquier revuelta. Para unir Egipto a Persia más estrechamente, integró el país del Nilo en el Gran Imperio en calidad de satrapía. Las tensiones entre los naturales del país y las fuerzas de ocupación se incrementaron a lo largo de los 21 años de su reinado, de modo que cuando fue entronizado su sucesor, Artajerjes, en el año 465 a.C., tuvo que enfrentarse a alzamientos en el delta. A pesar de la ayuda de los griegos, que navegaron con 200 embarcaciones hasta Egipto, el país no logró liberarse del yugo del Imperio persa. En el fondo la agitación continuó latente, pero ni durante el reinado de Artajerjes I ni de su sucesor, Darío II, llegó a producirse una rebelión abierta.

En el 401 a.C., tres años después de la muerte de Darío II, Amirteo, príncipe de Sais, pudo aprovechar las luchas por la sucesión al trono de Persia para someter a su control todo Egipto partiendo del delta. Amirteo fundó la XXVIII Dinastía, de la que fue el único rey. Con tan sólo cinco años de duración, fue la dinastía más breve de la historia de Egipto.

En circunstancias que no se han podido esclarecer, Neferites I tomó el poder y fundó la XXIX Dinastía, formada por cuatro reyes originarios de Mendes, ciudad del delta. Neferites ayudó a Esparta con cereales en su lucha contra los persas y su sucesor, Acoris, selló con Atenas y

Chipre tratados de alianza frente a los persas. En el año 385 a.C. pudo rechazar un ataque persa, pero la muerte de su sucesor, Neferites II, en el mismo año en que accedió al trono condujo a la extinción de la dinastía. Un general llamado Nectanebo se hizo con el poder y fundó la última dinastía de faraones autóctonos de Egipto.

La XXX Dinastía

Nectanebo I, favorecido inesperadamente por un gran alzamiento contra el rey de los persas en Oriente Medio, logró rechazar al ejército persa, que había avanzado de nuevo hasta el delta. El reinado de Nectanebo y el de sus sucesores estuvo marcado por el intento de reconstruir el gran país de los antiguos faraones, amenazado de continuo por el Imperio persa. Nactanebo II, el último rey de la XXX Dinastía, apenas pudo disfrutar de un decenio de paz mientras el Imperio persa trataba de mantener su posición de preeminencia en Oriente Medio.

Egipto consolidó su situación durante un tiempo, pero en el invierno del año 343 a.C. Artajerjes III penetró en el delta con un gran ejército de 300.000 hombres y avanzó desde allí de manera imparable hasta ocupar todo Egipto. De este modo comenzó la segunda dominación persa. Nectanebo II huyó al Alto Egipto, donde se perdió su rastro.

Arriba: Figura de bronce del Período Tardío que representa un gato, animal sagrado asociado principalmente con la diosa Bastet. Se han descubierto muchos gatos momificados en Bubastis, ciudad del delta que fue centro de culto a Bastet.

Alejandro Magno

El segundo dominio persa, englobado en la XXXI Dinastía, apenas duró diez años. En el 332 a.C. comenzó una nueva era, cuando Alejandro Magno pisó suelo egipcio. Antes, en noviembre del año 333 a.C., había derrotado a los persas y destruido su ejército en la batalla de Isos, con lo que puso fin a la supremacía persa en el Mediterráneo oriental y en todo el Próximo Oriente. El gran estratega encontró poca resistencia en Egipto y el sátrapa, o administrador persa, que ya no disponía de tropas suficientes, entregó el país sin presentar batalla.

Alejandro ofreció sacrificios a los dioses egipcios en Heliópolis y Menfis, y asumió así el papel de faraón. Además, se presentó en el oasis de Siwa ante el mundialmente famoso oráculo de Amón para ser confirmado como hijo del dios del Imperio y como soberano del mundo. A partir de entonces se le representó en las monedas con la cornamenta de un carnero, el animal emblemático de Amón, el dios que en el panteón griego se correspondía con Zeus.

Alejandro Magno abandonó Egipto poco después, pero permaneció en el país el tiempo suficiente para fundar, a comienzos del año 331 a.C., una ciudad a la que impuso su nombre, Alejandría, en la costa occidental del delta del Nilo, cerca de Rhakotis, un pequeño pueblo de pescadores. Según la leyenda, el general trazó en la arena con sus propias manos el plano de la ciudad, con calles que se cruzaban en ángulo recto, el foro y los templos. En otros lugares de su inmenso imperio Alejandro fundó también ciudades destinadas a ser centros de la cultura griega, pero ninguna alcanzó la magnitud y la importancia de la Alejandría egipcia, que pronto arrebató la capitalidad a Menfis. Los sucesores de Alejandro Magno convirtieron la ciudad en el centro espiritual y cultural del mundo helenístico. En su época de máximo esplendor la metrópoli superó a la antigua Roma.

Alcanzaron fama en todo el mundo su Biblioteca y su Museion, en el que convivían y trabajaban los sabios y filólogos más doctos. El Faro de Alejandría –una de las siete maravillas del mundo antiguo– servía de referencia a las naves para arribar a puerto con seguridad. Por desgracia, ninguno de estos monumentos ha llegado hasta nuestros días; un incendio destruyó gran parte de la Biblioteca y del Museion en el año 48 a.C., y los terremotos derribaron el Faro entre los siglos X y XIV de nuestra era.

Los ptolomeos

Alejandro Magno mantuvo a los dirigentes locales en su puesto, pero reorganizó la administración central. Se separaron las atribuciones civiles de las militares y su desempeño se atribuyó a cargos distintos. Después de la partida de Alejandro, el gobernador Cleomenes se ascendió a sí mismo a jefe supremo del país. Tras la repentina muerte del general macedonio en Babilonia el 10 de junio del año 323 a.C., el trono pasó primero a su hermanastro Filipo III Arrideo y después a su hijo Alejandro IV. Durante los 19 años que duró en total el reinado de Alejandro IV

Abajo: Viñeta del Libro de los Muertos que muestra al difunto inmerso en trabajos agrícolas en el Campo de Juncos. El grano crecía ubérrimamente en este campo y atravesarlo era una metáfora del viaje a la vida de ultratumba.

el gigantesco imperio fue gobernado de hecho por los generales de Alejandro Magno.

Después del asesinato de Alejandro IV los generales se repartieron el imperio entre ellos. Egipto recayó en el general Ptolomeo, que ya ostentaba el poder como gobernador desde el año 323 a.C. y que se hizo coronar faraón en Menfis en el año 305 a.C. con el nombre de Ptolomeo I Soter, epíteto que significa «salvador» y que era propio de Zeus y de otros dioses del panteón griego. Le sucedieron en el trono otros 13 reyes que llevaron el nombre de Ptolomeo, hasta que 275 años después la soberanía de los macedonios sobre el país del Nilo tocó a su fin.

Pero mientras tanto el número de inmigrantes griegos aumentó de manera exponencial; los griegos se establecieron en muchos lugares de Egipto y fundaron nuevos asentamientos. La lengua griega pronto dominó la vida pública. La arquitectura, especialmente en Alejandría, siguió el estilo helenístico casi en su totalidad; además, principalmente en el Bajo Egipto, se desarrolló un estilo mixto, integrado por elementos helenísticos y faraónicos; sólo el Alto Egipto se mantuvo libre de influencias foráneas.

Los soberanos ptolemaicos trataron de perpetuar su poder por medio de la tolerancia hacia los usos y costumbres de la población autóctona y a través de la consideración hacia las clases dominantes, en las que los griegos eran cada vez más numerosos. Para asegurar la sucesión al trono se sirvieron de la regencia compartida, el matrimonio entre hermanos, que debía aumentar la propia legitimidad, y el culto a los antepasados, destinado a con-

tribuir a la continuidad dinástica. Ptolomeo II Filadelfo divinizó a su hermana y esposa Arsinoe II tras la muerte de ésta, un ejemplo que siguieron otros reyes. El inicio bajo su reinado de la construcción del templo de Isis en la isla de Filé marcó el comienzo de la edificación de toda una serie de grandes templos en el país. En ellos se veneraba principalmente a los dioses egipcios, a quienes los faraones macedonios ofrecían sacrificios según muestran los relieves de sus paredes. Ptolomeo I Soter fue más allá y tuvo un gran acierto con el nuevo dios Serapis, una síntesis de divinidades griegas y egipcias.

Detrás de todas estas medidas, por muy sabias y bien intencionadas que puedan parecer, se ocultaba una imperiosa ansia de poder. Los impuestos que gravaban a la población autóctona eran opresivos y la clase alta griega saqueaba el país sin escrúpulos en connivencia con una escasa elite egipcia. Poco tardó en aparecer la resistencia y en el año 206 a.C., durante el gobierno de Ptolomeo IV Filopátor, se produjo un alzamiento en la región de Tebas. El Alto Egipto se mantuvo independiente durante dos décadas, período en el que reinaron en Tebas sucesivamente Herwennefer y Anjwennefer como faraones autóctonos.

Pero bajo el sucesor del cuarto Ptolomeo, su hijo Ptolomeo V Epífanes, el Alto Egipto fue integrado de nuevo por la fuerza en el Imperio ptolemaico. Ptolomeo V, huérfano y juguete de las intrigas palaciegas, fue coronado faraón en Menfis e la edad de 14 años; un día después, el 27 de marzo del año 196 a.C., promulgó un decreto con motivo de su coronación por el que regulaba los privilegios reales para determinados templos y sacerdotes. La voluntad del joven faraón se inmortalizó en una estela que contenía el texto en escritura jeroglífica y demótica, así como su traducción al griego. Esa estela, conocida como piedra de Rosetta, constituyó siglos después la llave que permitió al francés Jean François Champollion descifrar los jeroglíficos.

Ptolomeo V logró la unidad interior del país, pero durante su reinado el Imperio ptolemaico sufrió graves amputaciones. Se perdió el dominio sobre Siria, Anatolia y Tracia y las graves disputas por el poder en el seno de la familia real paralizaron el imperio.

Ptolomeo VIII Evergetes II

En la primavera del año 180 a.C. murió Ptolomeo V. Fue envenenado por sus generales después de amenazar con incautarse de bienes particulares para financiar una expedición militar. Su esposa Cleopatra, la primera de este nombre, asumió la regencia en representación de su hijo

menor de edad, Ptolomeo VI Filométor. La muerte de la reina cuatro años más tarde significó un duro golpe para el imperio. El poder quedó en manos de los cortesanos y éstos libraron una guerra contra Siria que condujo al país al borde del abismo. Ptolomeo VI fue desposado con su hermana Cleopatra II y poco después ambos compartieron el poder con otros dos hermanos entronizados con el

Derecha: Estatua de madera dorada de Osiris, rey del Inframundo y dios de la resurrección y la fertilidad.

nombre de Ptolomeo VII y Ptolomeo VIII. Así comenzó una lucha brutal por el trono entre los tres hermanos que duró toda su vida.

Cuando el ejército sirio marchó sobre Egipto, Ptolomeo VIII se declaró soberano único en ausencia de sus hermanos mayores. Posteriormente adoptó el calificativo de Evergetes («benefactor»), que ya había llevado su bisabuelo Ptolomeo III. Gobernó, sin embargo, de manera tiránica, cosa que muy pronto lo hizo extremadamente impopular entre los habitantes de Alejandría. Después de la retirada de las tropas sirias intervino en el conflicto como mediadora Roma, la nueva gran potencia: Ptolomeo VIII Evergetes II obtuvo la Cirenaica y Ptolomeo VI y Cleopatra II reinaron de nuevo en Egipto. La situación se mantuvo estable durante un tiempo, pero el conflicto latente con Siria condujo a nuevos enfrentamientos armados en el transcurso de los cuales perdió la vida Ptolomeo VI en junio del año 145 a.C.

Ptolomeo VIII Evergetes II regresó entonces a Alejandría como rey de Egipto. Por motivos dinásticos contrajo matrimonio con la viuda real, su hermana Cleopatra II. El hijo del primer matrimonio de Cleopatra, potencial aspirante al trono, fue asesinado por orden de Evergetes durante la celebración de las fiestas nupciales. Poco después se casó también con su sobrina, hija de Cleopatra II en su matrimonio con Ptolomeo VI, que a partir de entonces reinó sobre Egipto como Cleopatra III, junto con su madre y Evergetes II.

La brutalidad y la falta de escrúpulos de la casa real ptolemaica aún no había alcanzado sus cotas más altas. Después de diez años de reinado conjunto la inquietud y el desasosiego volvieron a Alejandría, y al parecer,

Cleopatra II no fue ajena a su instigación. Ptolomeo VIII Evergetes II y Cleopatra III huyeron a Chipre con sus hijos y en consecuencia Cleopatra II se hizo nombrar soberana única de Egipto. La respuesta desde Chipre no tardó en llegar: Evergetes II ordenó asesinar a su propio hijo, habido de su unión con Cleopatra II. Envió a Alejandría el cadáver descuartizado del joven, de unos catorce años, y lo hizo presentar a la reina usurpadora en el atardecer de la víspera de su aniversario.

Pocos años después, cuando la situación política cambió y dejó de ser favorable a Cleopatra II, Ptolomeo VIII Evergetes II regresó a Alejandría junto con su esposa. Entonces las partes enfrentadas se reconciliaron, por lo menos formalmente, y hasta la muerte de Ptolomeo

Derecha: Detalle de una viñeta del Libro de los Muertos de la dama Cheritwebeshet, con una escena de purificación.

Página anterior: Parte superior de un sarcófago antropomorfo que data del principio del Período Tardío. Presenta cara ennegrecida, peluca decorada con loto, adornos en el pecho y un dibujo del difunto arrodillado ofreciendo flores a Osiris.

VIII Evergetes II, acaecida en el año 116 a.C., gobernó la tríada con la participación de Cleopatra II. Tras el fallecimiento del faraón, el enfrentamiento entre madre e hija se agudizó de nuevo porque el soberano no había designado ningún heredero al trono y las reinas rivales no se ponían de acuerdo en la elección de un candidato que satisficiera a ambas.

El favorito de Cleopatra III era su hijo menor, Ptolomeo X Alejandro I, pero Cleopatra II logró su propósito de conseguir para su nieto mayor, Ptolomeo IX Soter II, el gobierno conjunto. Los habitantes de Alejandría le impusieron al nuevo rey los poco favorecedores motes de «Látiro» («garbanzo») y «Fiscón» («barrigudo»). Entretanto su hermano menor se había proclamado rey en Chipre.

Cleopatra

Este *status quo* se mantuvo unos siete años, durante los cuales Cleopatra III no perdió de vista su objetivo inicial de incluir a su hijo menor en el gobierno. El caldeado ambiente de Alejandría obligó a Soter II a huir de su madre Cleopatra III. Cuando por este motivo se trasladó a Chipre, su hermano menor regresó a Alejandría y se integró en el gobierno.

Cleopatra III se hallaba en la cúspide de su poder, hasta tal punto que dirigió por sí misma una campaña militar contra Siria, pero finalmente su destino sería el trágico final de tantos otros miembros de su familia: fue asesinada por el nuevo cosoberano, su propio hijo.

Soter II logró volver a Egipto y expulsar a su hermano Ptolomeo X Alejandro I. Se mantuvo en el poder durante ocho años hasta que a su muerte, acontecida en el año 81 a.C., su hija Cleopatra Berenice III ascendió al trono.

Roma trataba de influir activamente en la sucesión al trono egipcio, y de ahí que dispusiera el matrimonio de la reina con Ptolomeo XI Alejandro II, el hijo de Ptolomeo X Alejandro I, quien había fallecido en Chipre. Pero 18 días después de la boda se escribió un episodio más de la trágica historia familiar ptolemaica: Ptolomeo XI Alejandro II mató a su esposa y madrastra, Cleopatra Berenice III, y después él mismo fue masacrado por el pueblo enfurecido de Alejandría.

El trono recayó entonces en Ptolomeo XII Neos Dionisos, un hijo ilegítimo de Soter II. Por medio de sobornos e intrigas el nuevo soberano logró mantener la independencia de Egipto frente a Roma a lo largo de 29 años. En este tiempo engendró cinco hijos.

Después de muchos disturbios y de más asesinatos su hija, la famosa Cleopatra, alcanzó la cúspide del poder. Esta reina que los historiadores designan como Cleopatra VII Tea Filopátor no pudo sostenerse por mucho tiempo frente a Roma. Tras su trágico final en el año 30 a.C., Egipto cayó en manos de Octavio, el futuro emperador Octavio Augusto (véase Cleopatra en pág. 224).

El Egipto romano

El país del Nilo se convirtió en la provincia romana de Aegyptus, sometida directamente a la autoridad del emperador. Después de tantos períodos de esplendor, el gran imperio de los faraones quedó reducido a «granero de Roma», saqueado impunemente.

Augusto y sus sucesores ostentaban formalmente el título de faraón –algunos de estos emperadores incluso levantaron nuevos templos a los dioses egipcios–, pero la fama y el esplendor de Egipto palidecieron a ojos vistas y gran parte de su población se empobreció, oprimida por el enorme peso de los impuestos.

Las dificultades sociales facilitaron la difusión de una nueva doctrina de salvación, de tal manera que el cristianismo cobró un gran impulso. Tras las persecuciones de que fue objeto al principio, en especial bajo el emperador Diocleciano, en el año 313 d.C. el cristianismo pasó a ser la religión oficial del Estado. Uno tras otro los templos de los antiguos dioses, considerados ahora paganos, se cerraron, y sus edificios fueron demolidos o perdieron su significado. En Egipto, los tiempos de los antiguos dioses se extinguieron definitivamente cuando se clausuró el templo de Isis en Filé en el año 536 d.C.

Tras apenas cien años de preeminencia religiosa, el cristianismo se vio postergado por una nueva doctrina, pues la conquista de Egipto por parte de los árabes en el año 641 d.C. aupó el Islam a la categoría de fe oficial. El cristianismo se mantuvo como una religión minoritaria en el seno de la Iglesia copta.

Tras la conquista de los árabes vinieron en el transcurso de los siglos las conquistas de los turcos, los franceses y los ingleses. Hasta 1953 el país no recobró su independencia como República Árabe de Egipto.

Pocos países del mundo han creado a lo largo de su historia culturas de entidad semejante a la del Antiguo Egipto, pocos países poseen una herencia cultural equiparable. Todavía hoy, en el siglo XXI, el reino de los faraones irradia una fascinación a la que tan sólo algunos pueden sustraerse.

Página siguiente: Esta cabeza esculpida del Período Ptolemaico (332-30 a.C.) corresponde a una mujer no identificada, conocida simplemente como «La Dame d'Alexandrie».

Arriba izquierda: Pulsera de oro con un escarabajo de lapislázuli montado, recuperada de la tumba del soberano Shoshenq II, de la XXII Dinastía. Su sarcófago de plata con cabeza de halcón se encontró en 1939 en el complejo funerario de un rey anterior, Psusennes I, en Tanis. Los tesoros recuperados de la necrópolis del delta se consideran los segundos en importancia después de los de Tutankamón.

Arriba: Brazalete de oro de la tumba de Amenemope, sucesor del rey Psusennes I, de la XXI Dinastía. El escarabajo de lapislázuli sostiene la esfera dorada del sol, símbolo de la resurrección por su asociación con el dios creador Jepre. Los artículos recuperados en Tanis son la fuente de información más importante sobre los dioses funerarios del Tercer Período Intermedio.

Izquierda: Pectoral de oro de la tumba de Amenemope que presenta al faraón ofreciendo incienso a Osiris entronizado. La base está adornada con una hilera de pilares djed, formados cada uno de ellos por dos barras verticales y cuatro horizontales. Se creía que los pilares djed eran la columna vertebral de Osiris y a veces se representaban con brazos protuberantes que sostenían los símbolos de la realeza como el anj, el cayado y el flagelo. La ceremonia de la erección del pilar Djed se incorporó a la fiesta del hebsed, en la que tenía lugar la renovación de la autoridad y de la virilidad del soberano reinante. El pilar se mantenía para dar estabilidad y longevidad al rey del Inframundo, al que esperaba emular el soberano en la Tierra.

Derecha: Pectoral de la tumba de Psusennes I hecho de oro, cornalina, lapislázuli y feldespato. Luce un escarabajo alado flanqueado por las figuras arrodilladas de las diosas hermanas Isis y Neftis. En su condición de madre de Horus, Isis era considerada la madre divina del soberano reinante. Neftis no estaba estigmatizada por su papel de esposa del malvado Seth, el asesino de Osiris, puesto que ayudó a Isis a recuperar las partes desmembradas del cuerpo de su marido. Ambas diosas adquirieron el papel de protectoras de los muertos. A veces se las representaba como halcones, ave en la que se transformó Isis en su intento de insuflar nueva vida a Osiris. Neftis solía figurar en el extremo norte de los sarcófagos reales, la dirección en que estaba orientada la cabeza del difunto. Isis aparecía en el sur, alineada con los pies del ataúd.

Antiguo Egipto

Derecha: Detalle de un sarcófago que muestra a la reina del cielo, Nut, cuyas alas extendidas ofrecen protección al difunto. Nut era una importante divinidad funeraria, pues se creía que se tragaba al sol poniente y le daba nacimiento cada amanecer. Se pensaba que el cuerpo de Nut –tanto en su forma humana como en su apariencia bovina– formaba un arco sobre la Tierra señalando con sus extremidades los puntos cardinales. Los egipcios aprovechaban una supuesta desavenencia entre Nut y el dios Sol para añadir los cinco días necesarios a fin de que el calendario egipcio de 360 días coincidiera con el año solar. Nut estaba condenada a no dar a luz en esos días que faltaban en el año egipcio, pero pudo burlar la maldición con ayuda del dios luna Thot, quien añadió cinco días al calendario. Se decía que fue en estos días, conocidos como días epagómenos, cuando nacieron los cinco hijos de Nut y Geb. Los egipcios supersticiosos los consideraban días aciagos, en particular el día en que nació el malvado Seth.

Página siguiente: Detalle de un sarcófago con una representación de Osiris, el dios de la resurrección. También aparece el ojo udjat, un importante símbolo de regeneración. Se decía que Seth le había arrancado los ojos a Horus, pero que Hathor le había devuelto la vista. El ojo udjat o «sanado» suele ocupar un lugar bien visible en la iconografía funeraria. Los egipcios creían que sus poderes curativos ayudarían al difunto a renacer en la vida de ultratumba.

Arriba: Conjunto de dedales que pre-
servaban los dedos del cuerpo real
momificado hasta que fueran restitui-
dos en la vida de ultratumba.

Derecha: Esta pareja de sandalias
funerarias, hechas de láminas de oro,
se encontraron en el cuerpo momificado del rey Shoshenq II, de la XXII
Dinastía. Las descubrió en 1939 el
egiptólogo francés Pierre Montet en la
ciudad de Tanis, en el delta.

Psusennes II, el último soberano
tanita de esta dinastía, murió sin
heredero. El trono pasó a su yerno, el
comandante del ejército Shoshenq,
que provenía de la ciudad de Bubastis, en el delta, pero era de ascenden-
cia libia. Una vez entronizado, Shoshenq I colocó a uno de sus hijos en el
cargo de gran sacerdote de Amón.
Con ello pudo restablecer algunas
medidas de control real sobre Tebas,
pero las relaciones siguieron siendo
incómodas.

Arriba: Bol de oro estriado, con incrustaciones de cerámica, recuperado de la tumba de uno de los oficiales superiores del rey del Tercer Período Intermedio Psusennes I. Durante el reinado de la XXII y la XXIII Dinastías, se disputaron el control de Egipto muchas facciones. Además de la línea de descendencia de Shoshenq I y del clero de Karnak en Tebas, aparecieron soberanos en Heracleópolis y Sais. Ninguno logró conseguir el control absoluto, por lo que hubo numerosos reinados concurrentes. Existía además la amenaza externa del líder kushita Piye. Fue el primer rey nubio que conquistó Egipto. Su hijo Sabacón consolidó la victoria paterna y estableció una nueva línea dinástica. Se considera que con la fundación de esta XXV Dinastía dio comienzo el Período Tardío, cuando Egipto comenzó a ser, con frecuencia creciente, víctima de invasores hostiles.

Arriba: Detalle del sarcófago de Nespawershepi, jefe de los escribas de la XXV Dinastía en el templo de Amón en Karnak. Los rayos de sol de la diosa del cielo Nut, que esparcen semillas sobre el cuerpo momificado de Osiris, simbolizan los poderes regeneradores de éste último. Cuando Egipto cayó bajo el control kushita, los soberanos nubios, comenzando por Sabacón, asumieron el título de faraones y establecieron su capital en Tebas. Consideraron a Amón-Ra la divinidad preeminente, y así no hubo división teológica entre los conquistadores de Egipto y la población autóctona. Las bases del poder regional del país nunca llegaron a extinguirse y durante los últimos siglos de la era dinástica los egipcios lucharon repetidamente para recuperar su autonomía.

Arriba: Otro detalle del sarcófago de Nespawershepi muestra la barca solar transportando una imagen de Ra con cabeza de halcón y el símbolo del anj. El dios Sol está flanqueado por dos babuinos, animales sagrados asociados particularmente con la divinidad lunar Thot.

Durante la XXV Dinastía, Nubia, que dominaba Egipto, estuvo bajo la creciente amenaza de los asirios, quienes en el 671 a.C. llevaron a cabo una invasión exitosa y ocuparon Menfis. El rey egipcio Taharka se trasladó al sur y dejó que el victorioso soberano asirio Asaradón colocara gente nativa en el gobierno del país. Uno de éstos fue Neco, un príncipe de Sais, ciudad del delta, que fue el rey fundador de la XXVI Dinastía. Neco I fue asesinado después de un nuevo ataque de los nubios, que a su vez fueron derrotados nuevamente por los asirios, liderados por el gran rey guerrero Asurbanipal. Se restauró la línea saíta en la persona de Psamético, hijo de Neco, y la amenaza nubia se extinguió definitivamente.

Página anterior: Este sarcófago momiforme del Período Tardío es de una simplicidad estilística que evoca épocas anteriores. Este hecho guarda relación con el deseo nacional de recuperar tradiciones pasadas en el arte, la arquitectura y la literatura, un deseo surgido de los cambios demográficos que tuvieron lugar durante este período. Bajo el mandato del rey Psamético I, de la XXVI Dinastía, se produjo una inmigración a gran escala hacia el país. Se derivó de una política del faraón encaminada a diluir cualquier tipo de amenaza potencial a su posición por parte de grupos disidentes de la vieja base de poder regional. Carios, judíos y sirios se asentaron en Egipto, y en particular griegos, quienes tuvieron su propio enclave en el delta, Naucratis. Esta política resultó particularmente afortunada para el soberano reinante cuando los jefes asirios que lo habían puesto en el poder se encontraron bajo la amenaza del Imperio babilonio y, por tanto, no pudieron ofrecer apoyo a Psamético frente a las insurgencias internas.

Arriba: Relieve de la XXVI Dinastía en el que una sirvienta obtiene aceite de azucenas mediante prensado para usarlo en la fabricación de perfumes. Los esfuerzos de Egipto por reavivar el espíritu creativo de su glorioso pasado se desvanecieron rápidamente. El país entró en su período final de declive acelerado como consecuencia de una exitosa invasión perpetrada por los persas en el año 525 a.C. Con ello comenzaron 120 años de soberanía persa, durante los cuales la población nativa estuvo sujeta a duras condiciones de vida.

Derecha: Templo de Dendera donde se adoraba a Hathor, la diosa del amor, la alegría y la belleza. Dendera, ciudad del Alto Egipto, fue el principal centro de culto a Hathor durante toda la era dinástica. Las construcciones que hoy se conservan datan del reinado de Nectanebo I, soberano de la XXX Dinastía, salvo algunas dependencias adicionales realizadas durante el Período Ptolemaico. En la foto aparece la construcción más antigua que sobrevive, un mammisi o «lugar del nacimiento». Estos pequeños recintos se incorporaron a los complejos de los templos desde el Período Tardío hasta la época de los romanos. Su nombre se debe a que están decorados con escenas conmemorativas de nacimientos divinos. En el caso de Hathor, el dios niño es Ihi, el hijo nacido de su unión con Horus de Edfú. Dado que el faraón era la imagen viviente de Horus, el mammisi servía también para celebrar nacimientos reales. De hecho, se sabe que en Dendera había obras que representaban tanto el nacimiento de Ihi como el del faraón.

Arriba: Relive del templo de Horus en Edfú. En él aparecen el dios con cabeza de halcón y su consorte, Hathor, ofreciendo protección a dos faraones no identificados. Uno de los reyes luce la corona roja del Alto Egipto, el otro la corona doble de las Dos Tierras. El propio Horus está representado con la corona doble, que se ganó tras salir victorioso de su larga lucha con Seth. En las paredes del templo aparecen escenas relacionadas con su prolongada lucha por el trono egipcio. El templo de Edfú se construyó durante el Período Ptolemaico pero se inspira en edificios que datan del Imperio Antiguo.

Página siguiente: Relieve del santuario de la barca de Filipo III en Karnak que muestra a Min, dios de la fertilidad. La larga lucha de Egipto contra la opresión de los persas concluyó finalmente en el año 332 a.C. En el transcurso de los dos siglos anteriores hubo numerosas insurrecciones y los persas se mantuvieron a las puertas de Egipto durante unos 60 años. Finalmente, en el 343 a.C., un poderoso ejército al mando de Artajerjes III se hizo de nuevo con el control de Egipto. Once años después Alejandro Magno de Macedonia expulsó a los odiados persas, una victoria considerada por los egipcios como una liberación. Después de la muerte de Alejandro en el año 323 a.C., subieron al trono del Imperio macedonio su hermanastro Filipo III Arrideo y su hijo Alejandro IV. Pero en la práctica, el gobierno de Egipto lo detentaron los generales del ejército. Cuando murió Alejandro IV en el año 305 a.C., uno de sus generales, Ptolomeo de Lagos, se proclamó faraón. Sus descendientes, todos con el mismo nombre, gobernaron Egipto durante los siguientes 275 años.

Vista desde el Nilo del templo de Filé, principal centro de culto a Isis. La isla de Filé, situada a unos nueve kilómetros al sur de Asuán, simbolizaba la colina primigenia del mito de la creación. Los edificios más antiguos datan del Período Dinástico Tardío, pero la mayoría del complejo del templo se construyó durante los períodos Ptolemaico y Romano. Siguió siendo un lugar importante en estas épocas porque tanto los gobernantes griegos como los romanos adoptaron las tradiciones reales de Egipto y se consideraron a sí mismos como un Horus viviente, hijo de Isis. El culto a esta popular diosa se mantuvo durante mucho tiempo después de la introducción del cristianismo. Fue el último templo que se abandonó, lo que ocurrió durante el reinado del emperador Justiniano, en el 536 d.C.

La construcción de la presa de Asuán en la década de 1960, que comportó el final de las crecidas anuales del río, inundó un área enorme, de tal manera que el templo de Filé hubiera quedado sumergido bajo el recién formado lago Nasser. Gracias a la ayuda internacional auspiciada por la UNESCO, se desmanteló el templo, que alberga la última inscripción jeroglífica conocida, y se reconstruyó en la cercana isla de Agilka.

Cleopatra

Casi ninguna otra reina de la antigüedad alcanzó una fama parecida a la de Cleopatra VII, la última representante de la dinastía ptolemaica. A pesar de que su belleza no era extraordinaria, en contra de lo que pretende la leyenda, sí lo fueron su carácter, su cultura, su ingenio y su ansia de poder, carente de escrúpulos. Cleopatra VII primero fue cosoberana junto con su padre Ptolomeo XII. Después de la muerte de su progenitor, reinó compartiendo el poder con su hermano Ptolomeo XIII, con quien contrajo matrimonio. Repudiada, en el año 48 a.C. se trasladó a Siria y trató de recobrar el poder desde allí.

Cuando el cónsul romano Pompeyo huyó a Egipto después de ser derrotado por César en la batalla de Farsalia y fue asesinado por miembros de la casa real egipcia, César se presentó en Alejandría. Cleopatra se ganó su afecto y logró ser repuesta en el trono como reina. Poco después estalló en Alejandría una rebelión contra las tropas romanas de la que César escapó con vida por muy poco. Ptolomeo XIII cayó víctima del conflicto y Cleopatra reinó entonces junto con su hermano menor, Ptolomeo XIV, con quien también se desposó. A pesar de las circunstancias, Cleopatra y César fueron amantes. De esta relación nació el 23 de junio del año 47 a.C. un hijo, Ptolomeo XV Cesarion. Cleopatra acompañó a César a Roma, pero tras su asesinato, ocurrido en marzo del año 44 a.C. regresó a Egipto. En ese mismo año hizo eliminar a su esposo y hermano Ptolomeo XIV y nombró cosoberano a su hijo.

Tres años después conoció a Marco Antonio, que gobernaba como triunviro el oriente del Imperio romano. Ambos tenían intereses parecidos, los dos trataban de obtener beneficios políticos de su relación y también ambos sintieron una atracción apasionada el uno por el otro. De esta relación nacieron dos hijos y una hija.

En el marco de las llamadas «donaciones alejandrinas» Marco Antonio traspasó simbólicamente a Cleopatra y a sus hijos más de la mitad de las tierras conquistadas por Roma. Los romanos se enfurecieron y Octavio –el futuro emperador Augusto– supo aprovechar con habilidad el estado de opinión. En el año 34 a.C. Marco Antonio fue derrotado en la batalla naval de Actium y huyó a Alejandría, donde se suicidó. Para no formar parte del desfile triunfal en Roma y evitar ser vituperada por las masas, Cleopatra se dio muerte por medio de la mordedura de un áspid el 12 de agosto del año 30 a.C. Octavio hizo matar de modo brutal a su hijo Ptolomeo XV quien, en su condición de heredero de César, podía ser un peligro. A los demás hijos les perdonó la vida.

Página anterior: Uno de los muchos relieves del templo de Horus en Edfú que ilustran la lucha entre Horus y Seth. En esta escena Horus acompaña a Ra en su viaje a través de los cielos y se protege de los repetidos ataques del malvado Seth. El tema del triunfo del legítimo heredero sobre el usurpador fue tan importante en el Período Helenístico como lo había sido durante el Período Dinástico, y así lo demuestra el hecho de que el templo de Edfú se construyera bajo el mandato de los ptolomeos. Cuando el cristianismo se difundió en Egipto, las imágenes del panteón tradicional se declararon paganas y fueron desfiguradas, como aquí puede verse.

Arriba derecha: Fragmento de un relieve que se considera un retrato de Cleopatra VII, la más famosa de las reinas egipcias que llevaron este nombre. La última soberana de la línea dinástica ptolemaica, Cleopatra, lista, implacable y políticamente astuta, no tenía, sin embargo, la belleza cautivadora que le ha atribuido el mito popular. Por lo demás, falló en su intento de evitar que Egipto pasara a ser un estado vasallo del Imperio romano, lo que ocurrió en el año 30 a.C.

Derecha: Cabeza de Hathor que luce un collar de abalorios. Esta diosa multifacética, representada habitualmente con el rostro aplanado y orejas bovinas, fue la única divinidad a la que se representó en los relieves con el rostro completo. Aparece de este modo en los capiteles de las columnas de muchos templos y santuarios dedicados a ella.

Derecha: Hechizo del Libro de los Muertos, en este caso en escritura jeroglífica, si bien el texto también se reproducía en ocasiones en escritura demótica o hierática. Está grabado en el sarcófago de Petosiris, sacerdote supremo del dios luna Thot durante el reinado de Ptolomeo I, alrededor del 300 a.C. Las cámaras funerarias de Petosiris y su familia son las tumbas privadas más importantes de Tuna el-Gebel, necrópolis situada cerca de Hermópolis Magna, en el Egipto Medio. Este lugar era el centro de culto a Thot, dios asociado también con el conocimiento y la escritura. En Tuna el-Gebel se han descubierto numerosos babuinos e ibis momificados, animales asociados con Thot. Sin embargo, la característica más importante de esta necrópolis es la fusión del estilo artístico egipcio con el helenístico en las escenas de las tumbas. Éstas muestran agricultores y artesanos que responden a la tradición egipcia, pero la indumentaria y los peinados son de un estilo típicamente griego. Esta fusión de tradiciones artísticas constituye una rareza.

Izquierda: Fragmento de cristal que representa al dios halcón Horus. Durante el Período Greco-Romano se incorporaron varias divinidades egipcias a la tradición helenística o romana. Así, se puede ver a Horus luciendo la armadura romana y a Thot asociado con Hermes, mensajero y heraldo de los dioses griegos. De manera similar se unía a Isis con Demeter, la diosa griega de la fertilidad, protectora de las mujeres y del matrimonio. El culto a Isis se propagó por Grecia y por todas las provincias del Imperio romano. Incluso en la propia Roma se levantaron templos dedicados a Isis. Su popularidad rivalizaba tanto con el panteón romano como con el cristianismo.

Abajo: Cristal del período Greco-Romano con el ojo udjat. Si bien este tipo de iconografía acabó por considerarse pagana, los primeros cristianos del Imperio romano estuvieron muy influidos por las tradiciones egipcias. Por ejemplo, las imágenes de Isis amamantando a Horus muy bien podrían haber sido un modelo teológico para las representaciones de la Virgen con el Niño.

Izquierda: Sarcófago dorado que data del Período Romano. Los romanos adoptaron muchas de las costumbres funerarias de Egipto. Algunos llegaron a seguir incluso las prácticas de enterramiento egipcias y optaron por ser enterrados en lugar de incinerados, como era habitual en la sociedad romana.

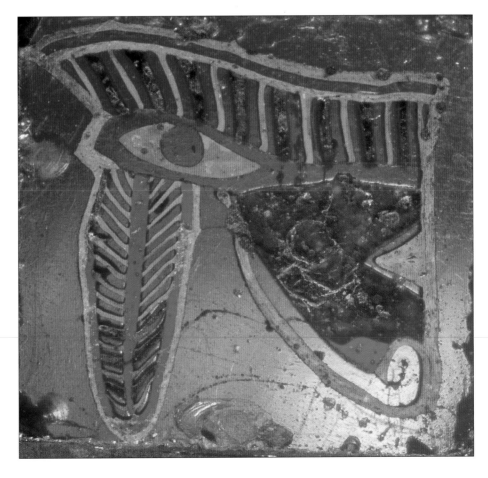

Derecha: Al parecer, el ibis sagrado se criaba específicamente para su momificación votiva. Han aparecido en gran número en catacumbas animales, principalmente en Saqqara.

Página anterior: Fragmento de cristal de una máscara teatral del Período Greco-Romano con la efigie de una hetaira o cortesana. Los romanos adoptaron numerosas prácticas y creencias egipcias, incluido el calendario, que sentó las bases del moderno calendario gregoriano. Los templos de Dendera, Edfú, Kom Ombo, Esna y Filé se completaron durante el Período Romano. Los nombres de emperadores como Trajano y Nerón aparecen en cartuchos grabados en estos magníficos lugares. Una característica de estos templos son los jeroglíficos que describen con detalles precisos las palabras y los movimientos usados en ceremonias de culto y rituales. La combinación de arquitectura imponente y liturgia precisa sugiere que dichos templos se construyeron con la intención de que fueran un testimonio duradero de la era faraónica. Cuando Egipto se convirtió al cristianismo en el siglo IV d.C., los templos, considerados bastiones del paganismo, fueron desfigurados en muchos casos.

El calendario egipcio

El curso del año, con la alternancia de día y noche, los giros en círculo que describe la luna cada mes y la repetición cíclica de las estaciones, ya era conocido en el Período Predinástico. El inicio del año estaba marcado por la inundación del Nilo, cuya llegada la anunciaba la aparición de Sirio, estrella visible a simple vista.

El calendario egipcio, introducido en el año 2900 a.C. por motivos administrativos, comprendía 365 días. Constaba de tres grandes estaciones –*ajet* (inundación), *peret* (siembra) y *shemu* (canícula)–, que duraban cuatro meses cada una, y cada mes tenía treinta días. Los cinco días sobrantes al final del año (*epagómenos*) se consideraron en las últimas épocas los aniversarios del nacimiento de los dioses Osiris, Horus, Isis, Seth y Neftis. En el sistema de este calendario faltaba el día de compensación para adecuarlo al año solar, que dura 365,25 días, y en consecuencia, el calendario oficial y el calendario agrícola se iban distanciando cada vez más con el paso de los siglos y sólo coincidían de nuevo al cabo de 1.460 años.

Dado que el calendario se consideraba una dádiva de Thot, el dios de la sabiduría y de la escritura, y que estaba destinado primordialmente a fechar los acontecimientos oficiales y las numerosas festividades en honor de los dioses, se renunció a corregirlo durante toda la época faraónica. El emperador Augusto reformó por primera vez el sistema mediante la introducción del calendario alejandrino, en el que cada cuatro años se añadía un sexto día epagómeno.

Para determinar las horas del día los antiguos egipcios se regían por la posición del sol. La clepsidra o reloj de agua para medir espacios de tiempo más cortos no se conoció hasta el Imperio Nuevo.

Arriba: Cabeza tallada en esquisto verde que data del Período Ptolemaico. La influencia del Egipto faraónico llegó mucho más allá de Grecia y Roma en los cientos de años que siguieron a su conquista por parte de Macedonia. En campos tan diversos como la religión, el arte, la arquitectura, la literatura, el cine, la ópera, las matemáticas, la medicina, la astronomía y la astrología existen elementos que proceden o están inspirados en la primera gran civilización del mundo.

Página siguiente: Los romanos asimilaron las prácticas de enterramiento egipcias y colocaron retratos naturalistas como éste sobre los cuerpos momificados. Alrededor del siglo II d.C. desapareció la tradición egipcia de situar papiros funerarios al lado del cuerpo del difunto. Durante el Renacimiento europeo, cuando comenzó el interés por redescubrir las creencias y costumbres de esta gran civilización de la antigüedad, muchos de los conocimientos y descubrimientos llegaron a través de Roma. Los escolares de la Edad Media estudiaban Egipto desde la perspectiva de Roma, que incluía muchas interpretaciones incorrectas, por ejemplo, con respecto al papel original de muchos dioses egipcios que se habían incorporado al panteón romano.

CAPÍTULO SEXTO

El mundo de los dioses

Amón

Amón –«el Oculto»– aparece por vez primera en los Textos de las Pirámides del Imperio Antiguo. Junto con Amaunet formaba una pareja de dioses en la doctrina de la creación de Heliópolis. Por lo menos desde el Imperio Medio fue el dios local de Tebas, y formó con Mut y Jons una familia de dioses. En esta época se fundió con Ra, el dios del Sol, para convertirse en Amón-Ra y de este modo alcanzó el carácter de dios creador universal. En su condición de Amón-Ra reunió en sí todos los atributos de un dios rey y por ello se le consideró el «rey de los dioses». Amenemhet I, cuyo nombre significa «Amón está a la cabeza», fue el fundador de la XII Dinastía y el primer faraón que incorporó el nombre del dios a su nombre propio. Al comienzo del Imperio Nuevo, hacia el año 1550 a.C., Tebas se convirtió en el centro religioso de Egipto; junto con Ra y Ptah, Amón pasó a ser el dios del Imperio, quien elegía o incluso engendraba al faraón. Amenofis IV–Ajenatón veneró durante su reinado a Atón como dios único. A lo largo de ese período, Amón perdió su posición dominante, su nombre fue borrado y sus imágenes destruidas. Con Tutankamón, Amón recuperó su anterior preeminencia.

El templo de Amón en Tebas (Karnak) fue desde la XIX Dinastía el mayor santuario del país y en nuestros días sigue siendo uno de los complejos religiosos más grandes del mundo. Si bien Tebas fue perdiendo importancia en los siglos siguientes, Amón no dejó de ser una divinidad significada, como lo demuestra el hecho de que Alejandro Magno se hiciera legitimar como faraón por el oráculo de Amón en Siwa. Las representaciones de Amón lo muestran en general con figura humana, piel azul y una corona alta de doble pluma. También puede adoptar la figura de un carnero o de un ganso.

Anubis

Es el dios con cabeza de chacal de las necrópolis y de los embalsamadores. Dado que el chacal, en tanto que devorador de carroña, aparecía con frecuencia en los

Página anterior: Anubis

Arriba: Amón

alrededor de los cementerios, pasó a ser el animal representativo de Anubis, «el señor de la tierra santa (= de las necrópolis)» y de la «antesala de los dioses (= centros de embalsamamiento)». Anubis era considerado por tanto el dios de la momificación.

En el ámbito de los dioses del más allá, Anubis participaba en el juicio de los muertos, en el que vigilaba el pesaje de los corazones con el que se decidía si el alma del difunto podía entrar en el más allá o era presa de la «gran devoradora», un demonio espantoso. En el mito de Osiris, Anubis es el hijo ilegítimo salido de la unión de Osiris con la diosa Neftis.

La tez negra de Anubis se relaciona con el cieno oscuro y feraz que las inundaciones del Nilo dejan sobre los campos, y desde este punto de vista, simboliza la renovación y la regeneración.

Atón

Forma visible en el cielo del dios del Sol (disco solar). El ascenso y la caída del culto a Atón van inseparablemente

Arriba: Atón

unidos con el destino de Amenofis IV (XXVIII Dinastía). Si bien Atón desempeñaba un papel secundario en el nutrido panteón de los dioses, Amenofis IV lo elevó a dios universal, en detrimento de las demás divinidades del país. En el quinto año de reinado, el faraón cambió su nombre de Amenofis IV, «Amón está satisfecho», por el de Ajenatón, «Resplandor de Atón». La corte se trasladó a un lugar virgen, «que no pertenecía a ningún otro dios o diosa», cerca de la actual Tell el-Amarna. Allí se creó la nueva capital, a la que se llamó Ajetatón, «Horizonte de Atón».

El culto a Atón era una potestad exclusiva de la familia real, que conforme al modelo de las tríadas divinas formaba con Atón una familia sagrada. Las imágenes del período de Amarna dan testimonio de este derecho privativo. Atón, representado como disco solar en el cielo, entrega el signo de la vida con sus largos brazos en forma de rayos exclusivamente al rey y a su familia; y sólo la familia real ofrece sacrificios al dios del Sol.

Este derecho absoluto y el abandono de los antiguos dioses no gozaron del apoyo de la población. Después de la muerte de Ajenatón, la nueva ideología no pudo subsistir ni siquiera en la corte real y durante el reinado de Tutankamón, el faraón niño, se restableció el antiguo orden.

Atum

Según la doctrina de la creación de Heliópolis, Atum apareció sobre la colina primigenia que surgió al inicio de los tiempos de las caóticas aguas que cubrían el mundo. El dios, «que se creó a sí mismo», engendró a la primera pareja de dioses: Shu (Aire) y Tefnut (Humedad), según una versión del mito con un estornudo y según otra mediante una masturbación. A su vez, Shu y Tefnut engendraron a Geb (Tierra) y Nut (Cielo), de quienes surgieron dos parejas de dioses: Isis y Osiris, y Neftis y Seth. Las cuatro generaciones unidas eran los nuevos dioses de Heliópolis.

Atum estaba estrechamente unido con Ra, el dios del Sol. Encarnaba su aspecto al anochecer como sol poniente e incluso podía aparecer como una divinidad independiente, Atum-Ra. Ambos dioses tenían en Heliópolis templos y santuarios separados. A Atum se le representa por lo general con figura humana y con una corona doble sobre la cabeza.

Bastet

La popular diosa con forma de gata tenía un aspecto particularmente agresivo por su condición de divinidad protectora del rey. En sus primeras representaciones aparece como una diosa con cabeza de leona. Por ello, en el Impe-

Arriba: Bastet estaba asociada con los felinos, que aparecen a menu-do en las pinturas murales de las tumbas privadas del Imperio Medio.

Arriba: Bes

rio Antiguo se la equiparó con la diosa leona Sejmet. Con el transcurso del tiempo modificó su apariencia y la fiereza de una leona se trocó en la mansedumbre de una gata. A pesar de la transformación de su aspecto, ahora apacible, su esencia siguió siendo ambivalente: fiera y mansa al mismo tiempo.

El centro del culto a Bastet se hallaba en el delta, en la ciudad de Bubastis, cuyo nombre actual, Tell Basta, todavía recuerda a la diosa con aspecto de gata. Allí se encontraba el gran templo de Bastet, cuya existencia se remonta por lo menos a la IV Dinastía. El culto a Bastet estuvo particularmente arraigado durante la XXII Dinastía y se prolongó hasta bien entrado el Período Greco-Romano. De Bubastis y otros lugares proceden las numerosas momias de gatos que, al igual que las embriagadoras fiestas de Bastet citadas por Herodoto, demuestran el gran predicamento alcanzado por la diosa.

Bes

En contra de lo que parecía sugerir su grotesca apariencia –figura enana, barba espesa, lengua sacada, orejas prominentes, cejas fruncidas–, Bes era una divinidad muy positiva. Junto con Thoëris, protegía los embarazos y los partos, y luchaba contra las enfermedades y contra toda clase de peligros con sus poderes mágicos. Además, era el dios de los placeres de los sentidos y de la danza.

Thoëris (en egipcio Ta-weret, «La Grande»), su pareja femenina, aparece representada como un híbrido, con el cuerpo de una hembra de hipopótamo del Nilo preñada, la cabeza y la cola de un cocodrilo hembra y las garras de una leona. Ambas divinidades protectoras gozaban juntas de una gran popularidad en el ámbito privado.

Hathor

Forman parte del panteón egipcio numerosas divinidades plasmadas con forma de vaca, que suelen asociarse con la fertilidad y la maternidad. La representante más significativa de este grupo es la diosa Hathor, que estaba unida de múltiples maneras a otras diosas. Los tres aspectos con los que se la representa habitualmente son como vaca, como mujer con cornamenta de vaca y disco solar sobre la cabeza o, de modo emblemático, como un rostro representado de frente con orejas de vaca.

Hathor estaba encuadrada en distintos círculos míticos y se la veneraba en numerosos centros de culto, principalmente en Dendera, donde aparecía como esposa del Horus de Edfú. Su principal atributo era el de diosa del amor y de la maternidad. Figura en la mitología como quintaesencia de la belleza y el encanto femeninos: cuando el dios Ra yacía inmóvil en el suelo ofendido por unas palabras de la reunión de los dioses, Hathor se levantó el

Arriba: Hathor

Arriba: Horus

vestido ante él, lo que devolvió al dios el buen humor. En general se asociaba a Hathor con fiestas embriagadoras, placer, danza y música. El sistro, un instrumento musical con sonido de campanillas, era el más usado en las ceremonias de culto a Hathor, agitado sobre todo por sacerdotisas. En su condición de divinidad femenina universal, Hathor abarcaba casi todos los momentos de la vida, desde el nacimiento hasta el amor y la sexualidad pasando por las alegrías cotidianas. En la región de Tebas fue además la diosa de los muertos y se la conocía por el sobrenombre de «señora del ocaso».

Horus

Desde el comienzo de la época dinástica Horus, el dios con figura de halcón en torno al cual se forjaron distintos mitos, estuvo estrechamente relacionado con la monarquía.

Hijo de Osiris e Isis, Horus sostuvo un largo enfrentamiento con el dios Seth, hermano y asesino de su padre. Al principio Ra prefirió a Seth, más fuerte y de mayor edad, para la sucesión del trono antes que a Horus, todavía un niño al que se representaba como Har-

pócrates, «Horus el niño»: desnudo, con rizos juveniles y un dedo en la boca. Al final se produjo una lucha entre tío y sobrino. Isis ayudó a su hijo, pero también a su hermano Seth cuando éste resultó herido. Enfurecido por ello, Horus le arrancó la cabeza a su propia madre y huyó a las montañas. Isis se salvó gracias a sus poderes mágicos mientras Seth perseguía al fugitivo y conseguía arrancarle los ojos. Horus recobró la vista con la ayuda de la diosa Hathor; por ello el ojo «udjat» («sanado») era un amuleto protector. Se depositaba a menudo dentro de los ataúdes y se llevaba encima como amuleto. Horus subió al trono después de un intercambio de misivas entre Ra y Osiris, el rey del más allá. El faraón reinante era considerado en Egipto el Horus viviente, que al morir se convertía en Osiris.

Isis

En su calidad de madre de Horus, Isis era también la madre divina del faraón, considerado la manifestación terrenal de Horus. La propia Isis era hija de los primeros dioses, Geb y Nut, y hermana y esposa de Osiris. Sus

Arriba: Isis y Horus

Arriba: Jepre

esfuerzos por retornar a la vida a su esposo asesinado y su papel como protectora de su hijo la convirtieron en paradigma de esposa leal y madre abnegada.

En algunas imágenes aparece con alas o con un vestido de plumas, en referencia a su transformación en un halcón hembra que planeaba sobre el difunto Osiris para insuflarle nueva vida. A partir del Imperio Nuevo se representó a Isis con cornamenta de vaca y disco solar, y no era posible distinguirla de Hathor por su apariencia iconográfica. Numerosas estatuillas pertenecientes al Período Tardío muestran a la diosa amamantando a su hijo Horus. Con el paso de los años Isis se fundió con otras divinidades distintas y fue venerada allende las fronteras de Egipto; los soldados romanos difundieron el culto a Isis hasta los rincones más recónditos del Imperio, y en Roma incluso se le erigió un templo imperial propio. El culto a Isis se mantuvo hasta bien entrados los tiempos del cristianismo.

Jepre

El dios cuyo nombre significa «llegar a ser, originarse» era la forma matutina, al alba, del dios del Sol. Su animal representativo era el escarabajo pelotero, del que se suponía que se creaba a sí mismo y cuya peculiaridad más llamativa consistía en empujar ante sí una bola, por lo que se le consideró un símbolo del movimiento del sol en el horizonte. Se representaba a Jepre como un escarabajo y también, aunque con menor frecuencia, con figura humana y cabeza de escarabajo.

El escarabajo, al igual que el sol naciente, simbolizaba renovación y renacimiento, y por ello los escarabeos, es decir los amuletos con la forma de este animal, eran muy populares. En el Primer Período Intermedio aparecieron los escarabajos con la parte inferior decorada; los grandes escarabajos conmemorativos fueron una particularidad del Imperio Nuevo, destinada a recordar los grandes acontecimientos del reinado del monarca.

Arriba: Jnum, Hathor y Horus

Jnum

Las divinidades carnero figuran entre los dioses egipcios más antiguos; la más significativa de ellas es Jnum. Su principal centro de culto estaba en Elefantina, una isla del Nilo próxima a la primera catarata. Dado que según los antiguos egipcios las inundaciones del río se originaban allí, se veneraba a Jnum, junto con las diosas Satet y Anuket, como divinidades de las aguas del Nilo y propiciadoras de la fertilidad. Según la mitología, en el comienzo de los tiempos Jnum creó a los dioses y a los hombres con barro. Este acontecimiento fue uno de los motivos representados en las paredes de los templos a partir de la XVIII Dinastía. En la leyenda del nacimiento del rey aparecía Jnum sentado ante un torno de alfarero, en el que formaba el cuerpo y el alma del faraón. El doble significado del término «ba», que por un lado designaba un carnero sagrado y por otro el alma como parte de la personalidad, llevó probablemente a la conclusión de que Jnum era el ba del dios del Sol del más allá, que aparece representado en las guías del más allá con cabeza de carnero en la barca solar.

Jons

A partir del Imperio Nuevo experimentó un gran auge el culto a Jons como dios de la luna. Su nombre, «el pasajero», se refiere a la inconstancia del astro de la noche. En las representaciones aparece en general con forma de momia, rizos juveniles y, sobre la cabeza, una luna creciente y un disco lunar. Con menor frecuencia presenta figura humana o cabeza de halcón.

El Jons juvenil formaba parte de las familias de dioses en distintas partes del país; las más importantes eran la tríada de Tebas –Jons con Amón y Mut–, así como la de Kom Ombo –Jons con Sobek y Hathor–.

En una época posterior Jons asumió también la función de dios curativo. Cuando el rey Ptolomeo IV Filópator (221-205 a.C.) enfermó de gravedad, se dirigió al dios Jons en busca de ayuda. Tras su total recuperación, el rey se otorgó el título de «Amado de Jons, quien protege a su majestad y expulsa el mal».

Min

Min fue desde el principio el dios de la potencia viril y de la fertilidad. Habitualmente se le representaba con forma de momia, el pene erecto, el brazo levantado, la barba divina y la cabeza adornada con dos plumas. Detrás del dios aparecen a menudo una cabaña circular o un estilizado campo de lechugas, cuya savia de color blanco lechoso se asociaba probablemente con el semen.

Para honrar a Min en su condición de potente dios creador –como Kamutef, «Toro de su madre», el dios que se crea a sí mismo– solían celebrarse actos en el marco de las fiestas reales del Hebsed destinados a asegurar la potencia viril del faraón.

A partir del Imperio Medio se fundieron en Tebas Min y Amón-Ra, el cual podía adoptar la apariencia externa de Min. Después de la recolección se celebraba en su honor una fiesta que se prolongaba varios días, con objeto de renovar la fertilidad de los campos.

Montu o Mentu

Montu, el dios de la guerra, aparece mencionado ya en el Imperio Antiguo como «Señor de Armant». En este lugar, situado a pocos kilómetros al sur de Tebas, se hallaba su principal centro de culto. Durante la XI Dinastía, Montu fue el dios principal de la región de Tebas y el dios pro-

Abajo: El faraón Mentuhotep II, uno de los cuatro soberanos particularmente asociados con el dios Montu o Mentu.

Abajo: Min

tector de cuatro faraones que adoptaron el nombre de
Mentuhotep, «Montu está satisfecho». Desde el comienzo
de la XII Dinastía se fue quedando a la sombra de Amón,
y ambos en estrecha relación se convirtieron en Montu-
Ra. En imágenes Montu aparece con cabeza de halcón y
sobre ella un disco solar rodeado por dos serpientes. En el
Imperio Nuevo, Montu, como dios de las batallas, apoya-
ba a los reyes en sus campañas militares.

Mut

La posición de la diosa Mut va estrechamente unida a la
ascensión de Amón. Como esposa de éste, formaba parte
de la familia de los dioses tebanos junto con su hijo, el
joven dios Jons. Desde el Imperio Nuevo se la representó
en forma de mujer, con cofia de buitre y encima la doble
corona. Su centro de culto, al sur de Karnak, estaba unido
con el templo de su esposo Amón a través de una larga
avenida flanqueada de esfinges. El nombre de la diosa significa literalmente «madre» y éste es el papel que desempeñaba en la familia de dioses. Mut tenía la consideración
de madre divina del rey, una posición que compartía con
otras diosas. Pero también poseía una faceta violenta,
cuando encarnaba el «Ojo de Ra» y tomaba venganza de
aquel que había suscitado la ira de los dioses.

Neith

Esta antigua divinidad de la creación surgió de las aguas
primigenias para crear la luz y a los demás dioses. Después se trasladó a Sais, en el delta del Nilo, y dejó tras de
sí a Jnum para que éste siguiera creando los demás seres
vivos en su torno de alfarero. Sais fue el principal centro
del culto a Neith, a quien solía representarse con la corona roja del Bajo Egipto. Desde el Período Predinástico
Neith fue venerada como diosa de la guerra; sus atributos
eran el arco y el escudo. Durante el Imperio Antiguo se
vio en ella a la compañera de Seth y a la madre del dios
cocodrilo Sobek. Al igual que otras divinidades femeni-
nas, Neith tenía rasgos maternales.

También desempeñaba el papel de diosa de los
muertos; junto con Isis, Neftis y Selket velaba el sarcófago y los vasos canopes. Estos últimos estaban estrechamente vinculados con los cuatro hijos de Horus; uno de
ellos, Duamutef, el de cabeza de chacal, actuaba en cola-
boración con la diosa Neth. Ésta gozó de especial consideración durante la XXVI Dinastía, cuyos reyes eran originarios de Sais.

Derecha: Neith
Página anterior: Mut

Arriba: Nut

Hapi, quien como divinidad de los vasos canopes protegía la lengua del fallecido.

Durante todo el Período Dinástico apenas se representó a Neftis al margen de su relación con Isis y prácticamente no desempeño ningún papel fuera del mito de Osiris y de los rituales funerarios.

Nejbet

Diosa de la ciudad de Elkab y protectora del Alto Egipto, representada con aspecto de buitre; la diosa correspondiente en el Bajo Egipto era Wadjet, divinidad de Buto y protectora del país del norte. Nejbet y Wadjet, «las dos soberanas», formaban parte de los títulos reales como expresión de la soberanía del rey sobre las dos partes del país. En cuanto que diosa de la corona, Nejbet encarnaba la corona blanca del Alto Egipto. Ya en el Período Predinástico Nejbet tenía la condición de protectora del rey, sobre el cual se cernía en forma de buitre. En las representaciones de las paredes de los templos, la diosa aparece con este aspecto hasta el final de la historia de los faraones. En sus garras sostiene con frecuencia el anillo Shen, un jeroglífico con el significado básico de girar, que era el símbolo de la soberanía infinita del rey en todo aquello sobre lo que gira el sol en su trayecto diario.

Nut

Según la doctrina de la creación de Heliópolis, Nut, la diosa del cielo, pertenecía a la tercera generación de los dioses primitivos. Al arquearse sobre su pareja, Geb, el dios de la tierra, ambos formaron el espacio del mundo habitado, que rellenó Shu, el dios del aire. Según esta concepción, la diosa del cielo se tragaba al sol cada anochecer, después del ocaso, y lo alumbraba de nuevo en la aurora siguiente, antes de su salida. En consecuencia, el oscuro cielo azul nocturno no era otra cosa que el cuerpo de Nut, en el que brillan las estrellas. Dado que se consideraba que las estrellas eran almas de Nut, se apodaba a la diosa «la de las mil almas». Desde los tiempos más antiguos existió el deseo de ser colocado tras la muerte «entre las estrellas», y de este modo Nut alcanzó un papel importante en la doctrina del más allá. Se la representó a menudo en los ataúdes, bien en la tapa como diosa alada, o bien en el fondo siguiendo la doctrina de la creación, con su cuerpo arqueado sobre el fallecido.

Neftis

Neftis es una diosa de orígenes oscuros, que carecía de centro de culto. Como hija de las primitivas divinidades Geb y Nut formaba parte de los nuevos dioses de Heliópolis. Era hermana y esposa de Seth. Después de que éste matara a su hermano Osiris, Neftis ayudó a su hermana Isis en la búsqueda del cadáver despedazado de Osiris, al que finalmente lloraron ambas; Neftis velaba por los difuntos desde la cabeza del féretro o sarcófago mientras que Isis lo hacía desde los pies. Por ello se considera a estas dos diosas el antecedente de las plañideras. Además, Neftis colaboraba con uno de los cuatro hijos de Horus,

Osiris

Las circunstancias que llevaron a Osiris a convertirse en el soberano del reino de los muertos son tratadas con notable discreción en las fuentes egipcias. Sin embargo, algunos pasajes del mito se representaron ilustrativamente en las paredes de los templos y en los papiros del Libro de los Muertos. El escritor griego Plutarco fue quien ofreció una versión coherente en un relato tardío.

Según esta versión del mito, al inicio de los tiempos Osiris reinaba como rey ideal en todo Egipto. Un día fue invitado a un banquete por Seth, su taimado y celoso hermano. Seth presentó a todos los comensales un valioso arcón que prometió regalar a quien cupiera dentro. Al igual que los demás invitados, también Osiris se metió en el arcón, un grave error según se demostraría, porque Seth y sus conjurados cerraron al instante la tapa y lanzaron el cofre al Nilo. Finalmente, el mar arrojó el arcón a la costa del Líbano, y allí creció un árbol que rodeó firmemente el cofre. Más tarde, el rey de Biblos hizo talar el árbol y empleó el tronco como viga del techo de su palacio. Gracias a sus poderes mágicos, Isis consiguió apoderarse del arcón y lo llevó de regreso a Egipto. Pero una vez allí, Seth lo descubrió, cortó el cadáver que había en su interior en pedazos y los esparció por todo el país. Isis se puso a buscar las partes del cadáver con la ayuda de su hermana Neftis y ambas se detuvieron en cada lugar donde encontraron un fragmento para oficiar una ceremonia fúnebre. Ello explica el gran número de centros de culto a Osiris que había por todo Egipto. Sólo el pene siguió desaparecido, pues se lo había tragado un pez en el Nilo.

En este punto prosigue la tradición egipcia diciendo que Isis, con la ayuda de Neftis, Anubis y Thot, logró recomponer el cadáver y envolverlo, de modo que fue la primera momia. Isis se transformó entonces en un halcón hembra y abanicó con las alas la momia situada debajo de ella para insuflarle la respiración. Tras la reanimación del cadáver, Isis y Osiris se unieron y engendraron a Horus, el sucesor en el trono. Finalmente Osiris ocupó su lugar como soberano del reino de los muertos.

Desde la V Dinastía existió la creencia de que el faraón fallecido se convertía en Osiris y gobernaba el más allá. Por lo menos desde el Imperio Medio, todos los egipcios, y no sólo el rey, tuvieron la esperanza de transformarse en Osiris tras la muerte. Abidos, el principal centro de culto a esta divinidad, ganó importancia como lugar de peregrinación, pues se consideraba fundamental visitar Abidos en vida o después de la muerte: tanto si realmente se transportaba la momia hasta allí por el río, como si el viaje se llevaba a cabo de manera simbólica por medio de una embarcación a pequeña escala que se introducía en la tumba del fallecido.

Osiris aparece en las representaciones con forma de momia, la corona atef sobre la cabeza, y el flagelo y el cayado en las manos como insignias de mando. El color marrón o negro de su tez simbolizaba la regeneración y el renacimiento.

Abajo: Osiris

Ptah

Ptah era el dios principal de Menfis, la capital del Imperio Antiguo. Allí se le veneraba como dios de la creación que había engendrado todo el cosmos, incluidos los dioses, con la fuerza de su pensamiento y de sus palabras (a diferencia de Atum de Heliópolis, quien había realizado la creación merced a los líquidos de su cuerpo). Este proceso, más espiritual que material, debió de ser objeto de vivas discusiones y especulaciones durante el Imperio Nuevo. En este período Ptah era, al igual que Ra y Amum, uno de los grandes dioses del imperio a los que se atribuían como propias cualidades creadoras.

Durante el Imperio Antiguo el sumo sacerdote de Ptah ostentaba el título de «sumo dirigente de la artesanía» en referencia a la fuerza creativa y creadora del dios. Desde este punto de vista fue en todas las épocas el patrón de artistas y artesanos.

Formaba una tríada con la diosa leona Sejmet y con el dios de la flor de loto Nefertem. Le unían estrechos

lazos con Sokar, divinidad de Menfis y dios de las necrópolis. Posteriormente se amplió la constelación en torno a
Osiris hasta Ptah-Sokar-Osiris como encarnación de la creación, la muerte y la resurrección. En las últimas etapas de
la historia egipcia las figuras de madera de esta divinidad
sincrética siempre formaban parte del ajuar funerario de
los personajes notables.

En las representaciones se reconoce fácilmente a
Ptah por su escaso tocado –en general un casquete ceñi-
do– y su aspecto de momia. En las manos sostiene un
cetro compuesto por los símbolos de la vida, la perdurabi-
lidad y el bienestar. Habitualmente figura en el símbolo
de maat, el orden mundial justo. Ptah tenía una relación
especial con el sagrado buey Apis de Menfis, al que se
consideraba la encarnación del dios y su mensajero terrenal. El animal sagrado permanecía en un establo del templo de Ptah, donde participaba en los rituales votivos o
podía ser interpelado como oráculo.

Ra

Ra era el todopoderoso dios del Sol de Egipto y tenía su
centro religioso en Heliópolis. Durante el Imperio Antiguo el culto a Ra se difundió por todo el país, y a partir
de la IV Dinastía, se consideró al faraón hijo de Ra. Las
pirámides escalonadas surgieron de la idea de una escalera de piedra que permitiera al faraón ascender hasta la
divinidad solar. Las pirámides posteriores, con sus lisas
caras exteriores, representaban la «forma» de los rayos
solares que atraviesan las nubes, con lo que se mantenía
incólume la relación entre el rey y el dios del Sol.

Los faraones de la IV Dinastía levantaron junto a las
pirámides enormes santuarios al dios Sol, que constituyen impresionantes testimonios de la posición sobresaliente del dios en aquella época. En el punto central de
estos santuarios se alzaba un voluminoso obelisco. Era un
símbolo de la piedra sísmica original del templo de Heliópolis que recibió los primeros rayos solares después de la
creación. De ella se deriva la forma de los esbeltos obeliscos posteriores.

El movimiento de la divinidad cósmica en el firmamento era objeto de diversas interpretaciones. Se creía
que durante el día el dios del Sol cruzaba el cielo en su
barca y que durante la noche atravesaba los campos del
averno; según otra versión, Nut, la diosa del cielo, se tragaba cada anochecer al sol, después del ocaso, y lo alumbraba de nuevo en la aurora siguiente, antes de su salida;
también se pensaba que el dios escarabajo Jepre hacía
rodar la pelota solar sobre el firmamento.

El Sol y el Nilo, la arteria vital de Egipto, eran los factores dominantes del medio ambiente en el país. Por ello
el dios del Sol tenía una importancia capital, que se vio
incrementada al fundirse con otras divinidades. De su

Arriba: Representación de la unión de los dioses Ra y Osiris en forma de momia con cabeza de carnero.

unión con Horus surgió Ra-Harajte, con Montu dio lugar
a Montu-Ra, y al fundirse con Amón formó Amón-Ra. Con
Atum, el dios de la creación, formó Atum-Ra, una unión
cuyo objetivo era la renovación perpetua. La Letanía del
Sol –un texto religioso que aparece en las paredes de algunas tumbas reales del Imperio Nuevo– describe la unión
del dios del Sol con Osiris, el dios del Inframundo. El
Imperio Nuevo fue también la época de los grandes him-
nos, en los que el fallecido ruega al dios del Sol que lo
acoja para toda la eternidad como miembro de su séquito.

Sejmet

La diosa con forma de leona era considerada agresiva y peligrosa por su carácter y su fuerza. Así lo sugiere el significado de su nombre: «la poderosa». Sejmet encarnaba el poder del rey en la lucha contra sus enemigos, pero también el poder del dios del Sol, cuya voluntad cumplía como hija suya. En tanto que «Ojo de Ra», era un instrumento cruel.

Según el mito, los hombres planeaban una rebelión contra el dios del Sol, pero éste descubrió la trama y después de deliberar con los demás dioses decidió aniquilar a los sublevados. Para ello envió a su Ojo de Ra, que actuó con furia entre los hombres bajo el aspecto de la diosa leona Sejmet. Finalmente, para acabar con el baño de sangre y salvar a los hombres de su aniquilación total, el dios del Sol se vio obligado a embriagar de tal modo a la poderosa divinidad que la borrachera le hiciera olvidar su misión. La humanidad estaba salvada.

Pese a su carácter brutal y vengativo, Sejmet también poseía cualidades positivas. Por una parte se la veía como diosa protectora del rey y, por otra, como diosa de las curaciones. Una divinidad luchadora como Sejmet parecía especialmente indicada para librar al cuerpo humano de las enfermedades.

Izquierda: Sejmet
Abajo: Seth

En Menfis, la antigua capital, era la esposa de Ptah, y tras el ascenso de Amón, se la colocó al mismo nivel que a su esposa Mut, quien desde entonces podía aparecer también como diosa con cabeza de leona.

Seth

Según la concepción teológica de Heliópolis, el dios Seth era descendiente de los dioses primigenios Nut y Geb y formaba parte de los dioses nuevos. Representaba el poder indómito y el caos salvaje, y se le identificaba con animales como el hipopótamo, el cerdo o el asno. Seth era considerado el soberano del desierto y de los países extranjeros. Su apodo más común fue el de «grande en fuerza».

Seht aparece representado con la cabeza de un ser fabuloso y se le identifica por las orejas altas y puntiagudas, y por el hocico largo y quebrado. En el ámbito del mito de Osiris y Horus, Seth desempeña el papel de malvado y fratricida. La cuestión de la sucesión de Osiris desencadenó una larga lucha entre Horus y Seth, en cuyo transcurso ninguno de los dos rivales se detuvo ante infamia alguna a la hora de derrotar al oponente. Uno de los episodios de este enfrentamiento describe el intento de Seth de reducir a Horus a través de la homosexualidad, para degradarle en la asamblea de los dioses, pero Horus adivinó su propósito y gracias a un truco de su madre, Isis, logró desenmascarar a Seth y presentarlo como homosexual ante todos los dioses. Seth no se dio por vencido e insistió en una lucha sobre naves de piedra. Horus lo engañó una vez más, pues no construyó su nave de pie-

dra sino de madera. La nave de Seth se hundió ridículamente y Horus venció de nuevo. Esta lucha duró más de ochenta años; al final Horus se proclamó vencedor y ascendió al trono de su padre Osiris.

Seth, que desde el comienzo había gozado del favor del dios del Sol, viajó a partir de entonces por el cielo en la barca de Ra. En el viaje nocturno del Sol Seth desempeñaba una importante tarea que ningún otro dios, excepto él, hubiera podido realizar. En la hora sexta de la noche, cuando el dios del Sol en su fase de regeneración era más débil, repelía el ataque de Apofis, el enemigo del dios solar, y con ello mantenía a salvo la creación. Esta acción, y en especial su carácter luchador y agresivo, le permitieron convertirse en el dios protector de los reyes de la XIX Dinastía. Tan sólo en el Período Tardío pesaron más las características negativas de Seth como asesino de Osiris, y encarnó el mal por antonomasia.

Izquierda: Thoth (con forma de babuino)
Arriba: Thoth (con forma de ibis)

Arriba: Wadjet

Thot

Cuenta la leyenda que cuando los egipcios se lamentaron del ocaso del sol en el horizonte occidental, el dios del Sol, Ra, encargó al dios Thot la creación de una luz alternativa durante su ausencia, y de este modo se originó la luna. Su relación con la luna convirtió a Thot en el «Señor del tiempo y calculador de los años», el que «separa los tiempos y los meses y los días». Los principales animales representativos de Thot eran el babuino y el ibis. Thot era considerado, además, el escriba de los dioses y levantaba acta del resultado del pesaje del corazón en el juicio de los muertos. En tanto que dios de la sabiduría se le atribuía la invención de la escritura jeroglífica.

Wadjet (Uto)

Del mismo modo que la diosa Nejbet lo era del Alto Egipto, Wadjet era la diosa de la corona del Bajo Egipto, donde se hallaba Buto, la ciudad de la que era originaria. Solía representarse a Wadjet como una cobra con la cabeza erguida. En su condición de poderosa serpiente originaria y omnipresente protegía al faraón de todo mal desde su frente. Nejbet y Wadjet encarnaban a la vez las dos coronas del país. Puede vérselas en las paredes de los templos con la figura de dos mujeres que coronan al rey con la doble corona del Alto y del Bajo Egipto.

Índice